영재
사고력수학
필즈

입문 하

CONTENTS

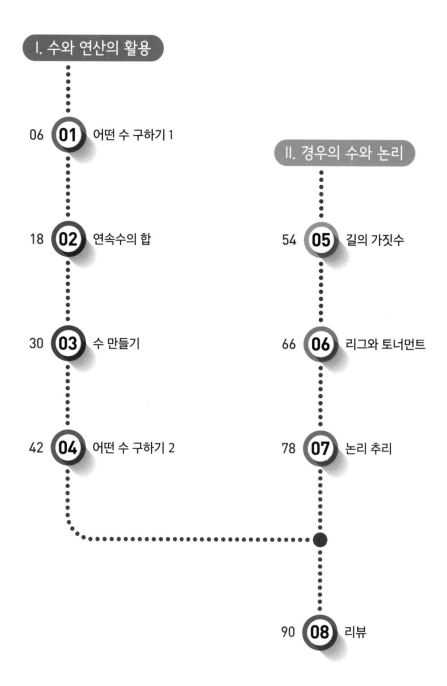

서문

이 책을 공부하게 될 친구들에게

저자는 영재교육원 관찰추천제를 대비하기 위한 <필즈수학> 시리즈를 출판하였고, 창의적 문제해결력을 기르고, 영재교육원 대비에 도움이 될 수 있도록 관찰추천제 가이드북을 제시하였습니다.

<필즈수학> 시리즈는 수학에 대한 호기심이 있는 학생들이라면 도전해 보고 싶은 주제들로 구성되어 있고, 교재의 수준과 깊이에서 일정 수준 이상의 개념과 수학적 경험을 갖춘 학생들이라면 접근해 볼 수 있는 면이 있어 영재교육원을 준비하지 않더라도 상위권 학생들을 중심으로 꾸준한 사랑을 받고 있습니다.

이러한 이유로 많은 학생들과 학부모들이 기존 <필즈수학> 시리즈로 공부할 수 있는 학생들보다 좀 더 어린 학생들을 대상으로 하는 교재의 출판을 바라왔습니다. 이러한 요구를 반영해 수와 연산, 패턴, 도형, 측정, 문제 해결 방법 등을 주제로 하는 유년기 또는 초등 저학년 학생들을 위한 <필즈입문> 시리즈를 내놓게 되었습니다.

수학은 위계의 학문입니다. 하위 개념에 대한 정확한 이해 없이 상위 개념을 접하게 되면 언제든지 무너질 수 있는 학문이라는 뜻입니다. 이 문제는 유사 문항을 단순 반복하여 여러 번 풀어본다고 해결되지 않으며, 무의미한 반복과 과도한 학습량은 오히려 수학에 대한 흥미를 떨어뜨려 수학 공부에 방해가 될 수 있습니다. 또한, 수학적 사고력은 개념 ➡ 기본 ➡ 응용 ➡ 심화와 같이 선형적으로 발전하지도 않습니다. 스스로 부딪쳐서 해결하는 과정에서 개념을 더 완벽히 이해할 수 있고, 깊이 있는 문제를 접하며 논리적 도약을 이뤄낼 수 있을 때 수학적 사고력이 발전하는 것입니다. 수학은 많은 학부모들이 오해하듯이 '선천적 재능을 타고나야 잘할 수 있는 과목'이 아닙니다. 아이들에게 환경과 기회를 어떻게 제공했는지에 따라 아이들의 수학 실력은 달라질 수 있습니다.

<필즈 입문> 시리즈는 유년기와 초등 저학년 학생들이 무엇을 가지고 어떻게 수학을 시작해야 하는지를 제시하고, 수학적 사고력을 길러 상위 개념으로, 다음 과정으로 진입할 수 있게 하는 마중물이 될 것입니다.

강신흥

이 책의 구성과 특징

유형 제시

어떤 문제를 공부하게 될까?

단원의 대표적인 사고력 문제 유형을 아이들의 대화를 통해 딱딱하지 않게 제시함으로써 학생들이 좀 더 재미있고 쉽게 이해할 수 있도록 도와줍니다.

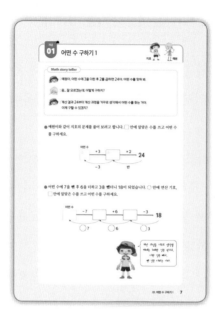

대표 문제

문제를 어떻게 접근해야 할까?

문제 해결의 핵심을 알려줌으로써 어려워 보이는 문제를 편하게 접근할 수 있는 친절한 선생님의 역할을 합니다.

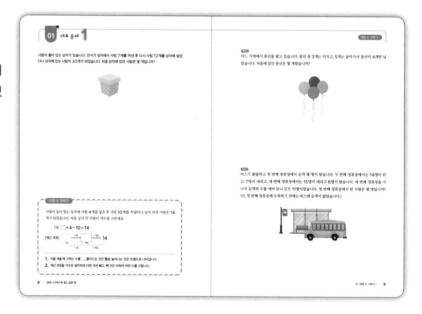

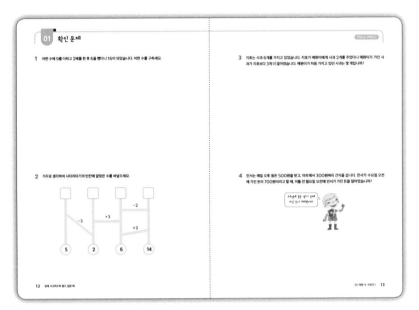

확인 문제

혼자서 해결하자!

유형 제시와 대표 문제에서 만난 문제들
이 다양한 형태로 변형되어 나옵니다.
변형된 여러 문제들을 학생이 혼자 해결
해봄으로써 해당 문제 유형의 이해를 높
입니다.

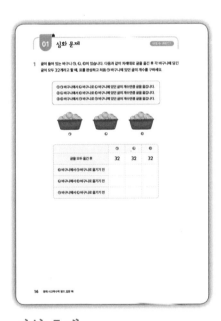

심화 문제

실력을 높이자!

기존 학습 문항들보다 난이도가 높은 문항
에 도전하고 해결하는 과정에서 학생의 과
제집착력을 기르고, 성취감을 맛볼 수 있게
합니다.

경시 기출 유형

도전!!

기존 경시대회 문제들과 유사한 형태의 문
제를 해결하는 과정에서 다양한 각도에서
문제를 접근하고 수학적 해결 전략을 구사
하는 능력을 향상시킵니다.

영재사고력수학 **필즈 로드**맵

예비 초등학생과
초등학교 저학년을 위한 [필즈수학] 시리즈

교재	예비 초등학생, 초등학교 1학년을 위한 **킨더**	초등학교 1, 2학년을 위한 **베이직**	초등학교 2, 3학년을 위한 **입문**
상	모으기와 가르기	고대의 수	마방진
	덧셈식과 뺄셈식	수와 숫자	조건에 맞는 수
	목표수 만들기	카드로 만든 수	복면산과 도형이 나타내는 수
	줄서기	수 퍼즐	곱셈구구
	모양 패턴	여러 가지 패턴	수열
	증감 패턴	이중패턴과 □번째 모양	수 배열의 규칙
	수 배열표	유비추론	도형 패턴
중	전체와 부분	색종이 접고 자르기	도형의 개수
	모양 겹치기	도형의 연결	도형 붙이기
	길이와 들이 비교	길이 비교	쌓기나무
	달력	무게 비교	잴 수 있는 길이
	선 잇기 퍼즐	포함 관계	간격과 개수
	이동 경로	님 게임	여러 가지 방법으로 해결하기
	가위바위보	동전과 성냥개비	재치있게 해결하기
하	□가 있는 식	성냥개비 연산	어떤 수 구하기1
	가로세로 수 퍼즐	홀수와 짝수	연속수의 합
	주고 받기	연산 퍼즐	수 만들기
	연산 규칙	약속 연산	어떤 수 구하기2
	속성	표와 그래프	길의 가짓수
	위치와 순서	가능성	리그와 토너먼트
	색칠하기	방법의 가짓수	논리 추리

초등학교 고학년을 위한 [필즈수학] 시리즈

교재	초등학교 3, 4학년을 위한 초급	초등학교 4, 5학년을 위한 중급	초등학교 5, 6학년을 위한 고급
상	연속수	대칭수	연속수의 성질
	숫자 카드	수와 숫자의 개수	수와 숫자의 합
	가장 큰 곱 만들기	연속수의 합으로 나타내기	배수판정법
	도형이 나타내는 수	포포즈	약수의 개수
	벌레 먹은 셈	크기가 같은 분수	끝수와 0의 개수
	숫자의 개수	복면산	수와 식 만들기
	마방진	여러 가지 마방진	진법 활용
	도형 붙이기	도형 나누기와 맞추기	타일 붙이기
	주사위	도형의 개수	직육면체
	거울에 비친 모양	점을 이어 만든 도형의 개수	입체도형
	원	정육면체	쌓기나무
	가로수와 통나무	나이	뉴튼산
	가정하여 풀기	포함과 배제	거꾸로 생각하기
	저울을 이용하여 풀기	나머지	작업 능률
	재치있게 풀기	속력	극단적으로 생각하기
하	쌓기나무	붙여 만든 도형의 둘레	단위넓이의 활용
	덮기와 넓이	달력	겹쳐진 부분의 넓이
	색종이 자르기와 접기	평행과 도형의 내각	도형의 둘레와 넓이
	눈금없는 길이와 무게	바닥깔기	등적 분활
	모래시계	접기와 각	삼각형을 이용한 각도 구하기
	도형 유추	시계와 각	고장난 시계
	패턴	규칙 찾아 도형의 개수 세기	피보나치 수열
	간단한 수열	교점과 영역의 개수	여러 가지 수열의 활용
	간단한 규칙 찾기	수의 배열의 규칙	복잡한 규칙
	규칙 찾아 간단하게 계산하기	약속	그래프 읽기
	리그와 토너먼트	지불할 수 없는 동전	색칠하기
	최단거리	무게가 다른 금화 찾기	여러 가지 경우의 수
	논리 추리	연역적 논리	입체에서의 최단거리
	한붓그리기	비둘기 집	홀수 짝수
	성냥개비	님 게임	참말족과 거짓말족

01

어떤 수 구하기 1

어떤 수 구하기 1

지호   예원

Math story teller

 : 예원아, 어떤 수에 3을 더한 후 2를 곱하면 24야. 어떤 수를 맞혀 봐.

 : 음... 잘 모르겠는데. 어떻게 구하지?

 : 계산 결과 24부터 계산 과정을 거꾸로 생각해서 어떤 수를 찾는 거야.
이제 구할 수 있겠지?

● 예원이와 같이 지호의 문제를 풀어 보려고 합니다. ☐ 안에 알맞은 수를 쓰고 어떤 수를 구하세요.

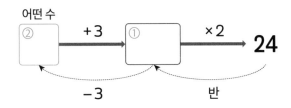

● 어떤 수에 7을 뺀 후 6을 더하고 3을 뺐더니 18이 되었습니다. ○ 안에 연산 기호, ☐ 안에 알맞은 수를 쓰고 어떤 수를 구하세요.

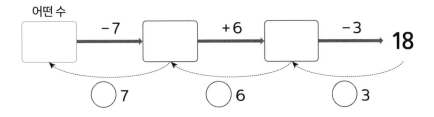

계산 과정을 거꾸로 생각할 때에는 2배한 것은 반으로, 더한 것은 빼고, 뺀 것은 더하는 거야.

사탕이 들어 있는 상자가 있습니다. 민서가 상자에서 사탕 7개를 꺼낸 후 다시 사탕 12개를 상자에 넣었더니 상자에 있는 사탕이 30개가 되었습니다. 처음 상자에 있던 사탕은 몇 개입니까?

어떤 수 구하기

사탕이 들어 있는 상자에 사탕 4개를 넣은 후 사탕 10개를 꺼냈더니 상자 안의 사탕은 14개가 되었습니다. 처음 상자 안 사탕의 개수를 구하세요.

[식] $\square$ + 4 − 10 = 14

[계산 과정]

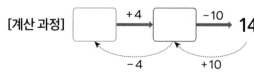

1. 식을 세울 때 구하는 수를 $\square$, 줄어드는 것은 뺄셈, 늘어나는 것은 덧셈으로 나타냅니다.

2. 계산 과정을 거꾸로 생각하여 더한 것은 빼고, 뺀 것은 더하여 어떤 수를 구합니다.

예제 1

어느 가게에서 풍선을 팔고 있습니다. 풍선 중 3개는 터지고, 5개는 날아가서 풍선이 4개만 남았습니다. 처음에 있던 풍선은 몇 개였습니까?

예제 2

버스가 출발하고 첫 번째 정류장에서 승객 몇 명이 탔습니다. 두 번째 정류장에서는 14명이 타고, 7명이 내리고, 세 번째 정류장에서는 15명이 내리고 6명이 탔습니다. 세 번째 정류장을 지나서 승객의 수를 세어 보니 모두 11명이었습니다. 첫 번째 정류장에서 탄 사람은 몇 명입니까? (단, 첫 번째 정류장에 도착하기 전에는 버스에 승객이 없었습니다.)

지호가 예원이에게 예원이가 가지고 있던 구슬의 개수만큼 구슬을 주었더니 두 사람이 가진 구슬의 개수가 모두 20개씩이 되었습니다. 지호와 예원이가 처음 가지고 있던 구슬은 각각 몇 개입니까?

	지호	예원
나중	20	20
처음		

지호: [   ]개, 예원: [   ]개

표 이용하여 어떤 수 구하기

㉠이 ㉡에게 ㉡이 가지고 있던 구슬의 개수만큼 구슬을 주었더니, 두 사람 모두 구슬 24개씩을 가지게 되었습니다. 두 사람이 처음 가지고 있던 구슬의 개수를 각각 구하세요.

	㉠	㉡
나중	24	24
처음		12

24의 반 ↓

➡

	㉠	㉡
나중	24	24
처음	36	12

24 + 12 ↓

1. 가지고 있던 구슬의 개수만큼 구슬을 받으면 나중 구슬의 개수는 처음 구슬 개수의 2배입니다.

2. ㉠이 처음 가진 구슬의 개수는 ㉠이 ㉡에게 준 구슬의 개수를 나중 구슬의 개수에 더하여 구합니다.

3. 구슬을 주기 전과 후의 두 사람이 가진 구슬의 총 개수는 같습니다.

예제 1

지한이가 민서와 수아에게 각자 가지고 있는 구슬의 개수만큼 구슬을 주었더니 세 사람이 가진
구슬의 개수가 모두 12개씩이 되었습니다. 처음 지한이가 가지고 있던 구슬은 몇 개입니까?

	지한	민서	수아
나중	12	12	12
처음			

예제 2

민서가 지호에게 지호가 가진 쿠키 개수의 반만큼 쿠키를 주었더니 민서는 쿠키 15개, 지호는 쿠
키 12개를 가지게 되었습니다. 민서와 지호가 처음 가지고 있던 쿠키의 개수를 각각 구하세요.

	민서	지호
나중	15	12
처음		

민서: ☐ 개, 지호: ☐ 개

1 어떤 수에 9를 더하고 2배를 한 후 6을 뺐더니 16이 되었습니다. 어떤 수를 구하세요.

2 거꾸로 생각하여 사다리타기의 빈칸에 알맞은 수를 써넣으세요.

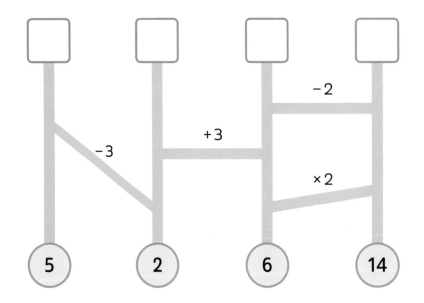

3 지호는 사과 6개를 가지고 있었습니다. 지호가 예원이에게 사과 2개를 주었더니 예원이가 가진 사과가 지호보다 3개 더 많아졌습니다. 예원이가 처음 가지고 있던 사과는 몇 개입니까?

4 민서는 매일 오후 용돈 500원을 받고, 마트에서 300원짜리 간식을 삽니다. 민서가 수요일 오전에 가진 돈이 700원이라고 할 때, 이틀 전 월요일 오전에 민서가 가진 돈을 얼마였습니까?

수요일에 용돈 받기 전에 가진 돈이 700원이야.

5 예원이가 지한이에게 사탕 5개를 주었더니 지한이가 가진 사탕이 12개가 되었습니다. 사탕을 주고 난 후 예원이의 사탕 개수가 지한이의 사탕 개수의 2배가 되었다면, 예원이가 처음 가지고 있던 사탕은 몇 개입니까?

6 사과가 들어 있는 상자 ㉠, ㉡, ㉢이 있습니다. ㉠ 상자에서 사과 5개를 ㉡ 상자로 옮기고, ㉡ 상자에서 사과 3개를 ㉢ 상자로 옮겼더니 세 상자에 있는 사과가 모두 7개씩이 되었습니다. 세 상자에 처음 들어 있던 사과의 개수는 각각 몇 개입니까?

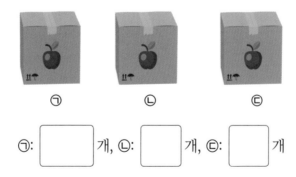

㉠   ㉡   ㉢

㉠: ☐ 개, ㉡: ☐ 개, ㉢: ☐ 개

7 민서가 지호에게 자신이 가진 쿠키 개수의 반을 주었습니다. 쿠키를 준 후 지호가 가진 쿠키는 12개이고, 민서가 가진 쿠키보다 5개가 많다고 할 때, 처음 민서가 가진 쿠키는 몇 개입니까?

8 지한이네 학급 도서관에서 오늘 학생들에게 위인전 ㉠권을 빌려주고, ㉡권을 반납받았습니다. 오늘 오후 도서관에 있는 위인전이 10권이라고 할 때, 오전에 도서관에 있던 위인전은 몇 권입니까? (단, ㉠은 ㉡보다 2 큰 수입니다.)

1 귤이 들어 있는 바구니 ㉠, ㉡, ㉢이 있습니다. 다음과 같이 차례대로 귤을 옮긴 후 각 바구니에 담긴 귤이 모두 **32**개라고 할 때, 표를 완성하고 처음 ㉠ 바구니에 있던 귤의 개수를 구하세요.

① ㉠ 바구니에서 ㉡ 바구니로 ㉡ 바구니에 있던 귤의 개수만큼 귤을 옮깁니다.
② ㉡ 바구니에서 ㉢ 바구니로 ㉢ 바구니에 있던 귤의 개수만큼 귤을 옮깁니다.
③ ㉢ 바구니에서 ㉠ 바구니로 ㉠ 바구니에 있던 귤의 개수만큼 귤을 옮깁니다.

㉠　　　　　　㉡　　　　　　㉢

	㉠	㉡	㉢
귤을 모두 옮긴 후	32	32	32
㉢ 바구니에서 ㉠ 바구니로 옮기기 전			
㉡ 바구니에서 ㉢ 바구니로 옮기기 전			
㉠ 바구니에서 ㉡ 바구니로 옮기기 전			

● 알라딘이 요술 램프를 찾기 위해서는 동굴 3개를 지나야 합니다. 각 동굴마다 문지기가 있는데 문지기들은 모두 알라딘에게 다음과 같은 요구를 하였습니다.

동굴을 지날 때마다
네가 가진 만큼의 금화를 줄게.
대신 나에게 금화 8개를 줘야 해.

알라딘이 동굴 3개를 모두 통과하고 알라딘에게는 금화가 하나도 남지 않게 되었습니다. 다음 표를 완성하고 처음 알라딘이 갖고 있던 금화의 개수를 구하세요.

		금화의 개수
모든 동굴 통과 후		0
3번째 동굴	금화 8개 주기 전	
	금화 받기 전	
2번째 동굴	금화 8개 주기 전	
	금화 받기 전	
1번째 동굴	금화 8개 주기 전	
	금화 받기 전	

02

연속수의 합

개념 02 연속수의 합

지호 예원

Math story teller

: 1부터 8까지의 수를 모두 더하려고 해. 그런데 합을 좀 더 쉽게 구하는 방법이 있을까?

: 1부터 8까지의 수를 합이 같도록 두 수씩 짝을 지으면 곱셈으로 쉽게 합을 구할 수 있어.

$$1 + 2 + 3 + 4 + 5 + 6 + 7 + 8 = 9 + 9 + 9 + 9 = 9 \times 4 = 36$$

● 지호의 방법으로 다음 계산을 하세요.

$$1 + 2 + 3 + 4 = \boxed{} + \boxed{} = \boxed{} \times 2 = \boxed{}$$

$$1 + 2 + 3 + 4 + 5 + 6 = \boxed{} + \boxed{} + \boxed{} = \boxed{} \times 3 = \boxed{}$$

$$2 + 3 + 4 + 5 + 6 + 7 = \boxed{} + \boxed{} + \boxed{} = \boxed{} \times 3 = \boxed{}$$

연속수가 짝수 개일 때
(연속수의 합)=(가장 큰 수와 가장 작은 수의 합) × (수의 개수의 반)
이구나.

맞아. 수학자 가우스가 초등학교 3학년 때 이 방법으로 1부터 100까지의 합을 구했지.

다음 계산을 하세요.

(1) $1 + 2 + 3 = \boxed{} \times 3 = \boxed{}$

(2) $1 + 2 + 3 + 4 + 5 + 6 + 7 = 4 \times \boxed{} = \boxed{}$

(3) $1 + 2 + 3 + 4 + 5 + 6 + 7 + 8 + 9 = \boxed{} \times \boxed{} = \boxed{}$

연속수가 홀수 개일 때 합 구하기

중앙수

$1 + 2 + ③ + 4 + 5 = \boxed{} + \boxed{} + 3 + \boxed{} + \boxed{} = 3 \times \boxed{} = \boxed{}$

중앙수   수의 개수

1. 연속수가 홀수 개일 때 모든 수를 중앙수로 만들면 곱을 이용하여 합을 구할 수 있습니다.

2. 중앙수는 가장 작은 수와 가장 큰 수의 합을 반으로 나누어 구합니다.

3. 연속수가 홀수 개일 때 (연속수의 합) = (중앙수) × (수의 개수)입니다.

예제 1

연속된 수의 합이 다음과 같을 때 중앙수를 구하세요.

(1) □ + ■ + □ = 15

(2) □ + ■ + □ = 21

(3) □ + □ + ■ + □ + □ = 25

예제 2

다음 계산을 하세요.

(1) $1 + 3 + 5 + 7 + 9 =$ □

(2) $2 + 4 + 6 + 8 + 10 =$ □

(3) $3 + 5 + 7 + 9 + 11 + 13 + 15 =$ □

다음 범위 안의 자연수의 개수를 구하세요.

(1) 13부터 28까지의 수

(2) 25보다 크고 34보다 작은 수

(3) 6부터 120까지의 수

(4) 17보다 크고 245보다 작은 수

연속수의 개수

① 1부터 10까지의 수: 1, 2, 3 …… 8, 9, 10 ➡ 10개

　2부터 10까지의 수: 2, 3 …… 8, 9, 10 ➡ 10 − 1 = 9(개)

② 1보다 크고 10보다 작은 수: 2, 3 …… 8, 9 ➡ 9 − 1 = 8(개)

1. ■부터 ▲까지 연속수의 개수: ▲ − (■ − 1)

2. ■보다 크고 ▲보다 작은 연속수의 개수: (▲ − 1) − ■

예제 1

☐ 안에 들어갈 수 있는 자연수의 개수를 구하세요.

(1) $3 <$ ☐ < 11

(2) $5 <$ ☐ < 13

(3) $9 <$ ☐ < 36

예제 2

민서, 지한, 예원이 이야기하는 연속수의 합을 각각 구하세요.

6부터 11까지
연속수의 합

3보다 크고 15보다
작은 연속수의 합

민서

지한

시작수가 8, 끝수가
13인 연속수의 합

예원

1 수 카드가 다음과 같이 나열되어 있습니다. 나열한 수들의 합을 구하세요.

| 1 | 3 | 5 | 7 | 9 | 11 | 13 | 15 | 17 |

2 상자 안에 조건에 맞는 연속수 카드가 들어 있습니다. 예원이와 지호가 상자에서 각각 중앙수가 적힌 카드를 꺼내려고 합니다. 예원이와 지호가 꺼내는 카드에 적힌 수를 구하세요.

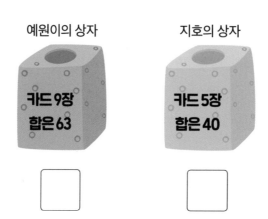

예원이의 상자

지호의 상자

카드 9장
합은 63

카드 5장
합은 40

3 보기 와 같은 방법으로 주어진 수를 1씩 차이나는 네 수의 합으로 나타내세요.

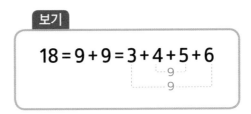

보기
$$18 = 9 + 9 = 3 + 4 + 5 + 6$$

(1) $14 = \boxed{} + \boxed{} + \boxed{} + \boxed{}$

(2) $22 = \boxed{} + \boxed{} + \boxed{} + \boxed{}$

4 어느 동화책에 3쪽마다 그림이 나옵니다. 첫 그림이 3쪽에 나왔다고 할 때, 첫 번째 그림부터 다섯 번째 그림까지 그림이 나온 쪽수의 합을 구하세요.

5 어느 해 1월에 일요일부터 토요일까지의 날짜의 합이 63이라고 합니다. 날짜의 합에 맞게 달력을 완성하세요.

1월

일	월	화	수	목	금	토

6 지한이는 사탕 21개를 상자 ㉠, ㉡, ㉢에 나누어 담으려고 합니다. 상자 ㉠, ㉡에 있는 사탕 개수의 차와 상자 ㉡, ㉢에 있는 사탕 개수의 차가 서로 같다고 할 때, 상자 ㉢에 담을 수 있는 가장 많은 사탕은 몇 개입니까? (단, (상자 ㉠의 사탕 개수) < (상자 ㉡의 사탕 개수) < (상자 ㉢의 사탕 개수)이고, 각 상자에 사탕 1개 이상은 반드시 넣어야 합니다.)

㉠

㉡

㉢

7 친구 5명이 구슬 50개를 가지고 게임을 합니다. 첫 번째 게임은 다섯 명이 구슬을 1개씩 차이 나게 나누어 가졌고, 두 번째 게임은 다섯 명이 구슬을 2개씩 차이 나게 나누어 가졌습니다. 나누어 가진 구슬의 개수를 빈칸에 쓰세요. (단, ㉠<㉡<㉢<㉣<㉤입니다.)

	㉠	㉡	㉢	㉣	㉤
첫 번째	☐ 개,	☐ 개,	☐ 개,	☐ 개,	☐ 개
두 번째	☐ 개,	☐ 개,	☐ 개,	☐ 개,	☐ 개

8 35를 연속수의 합으로 나타내세요. 세 가지 방법이 있습니다.

[방법 1] **35 =** _____

[방법 2] **35 =** _____

[방법 3] **35 =** _____

1　지한이네 가족이 여행을 다녀왔습니다. 여행을 다녀온 날짜의 합이 27이라고 할 때, 여행을 다녀온 날이 될 수 있는 세 가지 날짜에 모두 색칠하여 나타내세요. (단, 여행을 2일 이상 다녀왔습니다.)

일	월	화	수	목	금	토
1	2	3	4	5	6	7
8	9	10	11	12	13	14
15	16	17	18	19	20	21
22	23	24	25	26	27	28
29	30	31				

일	월	화	수	목	금	토
1	2	3	4	5	6	7
8	9	10	11	12	13	14
15	16	17	18	19	20	21
22	23	24	25	26	27	28
29	30	31				

일	월	화	수	목	금	토
1	2	3	4	5	6	7
8	9	10	11	12	13	14
15	16	17	18	19	20	21
22	23	24	25	26	27	28
29	30	31				

2　위 달력에 다음과 같은 모양으로 날짜 4개를 표시하였습니다. 네 날짜의 합을 구하면 52가 된다고 할 때, 색칠한 날짜의 첫 번째 날과 마지막 날의 날짜를 차례로 쓰세요.

● 칠판에 나열된 수에 연속수의 합이 36이 되도록 두 가지 방법으로 밑줄을 그으세요.

1, 2, 3, 4, 5, 6, 7, 8, 9, 10, 11, 12, 13, 14, 15

1, 2, 3, 4, 5, 6, 7, 8, 9, 10, 11, 12, 13, 14, 15

● 1부터 30까지의 수 중 다음 조건 을 모두 만족하는 수를 모두 쓰세요.

조건

- 두 자리 수입니다.
- 연속된 세 수의 합으로 나타낼 수 있습니다.
- 연속된 다섯 수의 합으로 나타낼 수 있습니다.

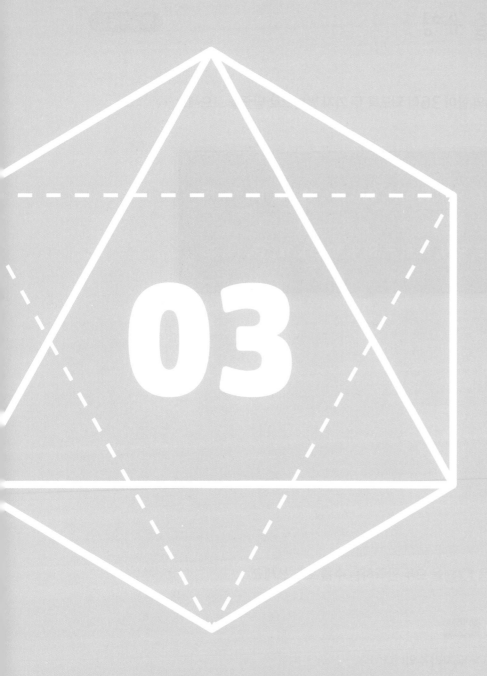

03

수 만들기

수 만들기

지호   예원

Math story teller

 : 다음 수 카드를 한 번씩 모두 사용해서 (두 자리 수) + (두 자리 수)의 식을 만들 거야. 계산 결과가 가장 큰 식과 가장 작은 식을 만들어 보자.

 : 합이 가장 큰 식은 십의 자리에 주어진 수 중 더 큰 수를 넣고, 합이 가장 작은 식은 십의 자리에 더 작은 수를 넣으면 돼.

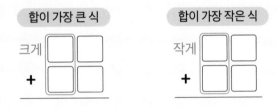

● 주어진 수 카드를 한 번씩 모두 사용하여 합이 가장 큰 식과 합이 가장 작은 식을 만들고 계산하세요.

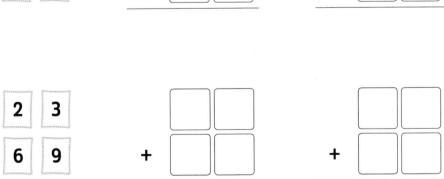

수 카드를 한 번씩 모두 사용하여 차가 가장 큰 식과 차가 가장 작은 식을 만들고 계산하세요.

$$ \boxed{1} \quad \boxed{3} \quad \boxed{4} \quad \boxed{6} $$

차가 가장 큰 식	차가 가장 작은 식

가장 큰 차, 가장 작은 차

차가 가장 큰 식 — 큰 두 자리 수 − 작은 두 자리 수

차가 가장 작은 식 — 가까운 두 수, 작은 수, 큰 수

1. 차가 가장 큰 식은 주어진 수로 만들 수 있는 (가장 큰 두 자리 수) − (가장 작은 두 자리 수)입니다.

2. 차가 가장 작은 식은 십의 자리에 차가 가장 작은 두 수를 넣고, 남은 수 중 작은 수는 빼어지는 수의 일의 자리, 큰 수는 빼는 수의 일의 자리에 넣습니다.

예제 1

주어진 수 카드에서 **4**장을 뽑아 한 번씩 사용하여 차가 가장 큰 식과 가장 작은 식을 만들고 계산 하세요.

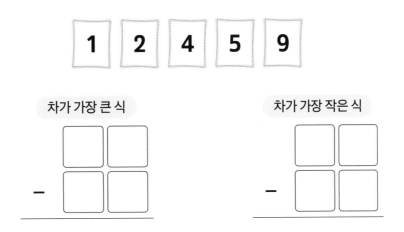

예제 2

☐ 안에 **1**부터 **8**까지의 수를 한 번씩 넣어 식을 만들 때 나올 수 있는 가장 큰 계산 결과와 가장 작은 계산 결과를 차례로 쓰세요. (단, 모든 수를 사용하지 않아도 됩니다.)

(1)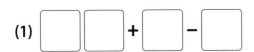

(2)

1부터 6까지의 수의 합이 21입니다. ◯ 안에 + 또는 − 를 넣어 올바른 식을 만드세요.

$$6 \; (+) \; 5 \; (+) \; 4 \; (+) \; 3 \; (+) \; 2 \; (+) \; 1 = 21$$

$$6 \; \bigcirc \; 5 \; \bigcirc \; 4 \; \bigcirc \; 3 \; \bigcirc \; 2 \; \bigcirc \; 1 = 19$$

$$6 \; \bigcirc \; 5 \; \bigcirc \; 4 \; \bigcirc \; 3 \; \bigcirc \; 2 \; \bigcirc \; 1 = 15$$

$$6 \; \bigcirc \; 5 \; \bigcirc \; 4 \; \bigcirc \; 3 \; \bigcirc \; 2 \; \bigcirc \; 1 = 13$$

계산 결과와 빼는 수의 관계

$$5 \; (+) \; 4 \; (+) \; 3 \; (+) \; 2 \; (+) \; 1 = 15$$

$$5 \; \bigcirc \; 4 \; \bigcirc \; 3 \; \bigcirc \; 2 \; \bigcirc \; 1 = 7$$

$$5 \; \bigcirc \; 4 \; \bigcirc \; 3 \; \bigcirc \; 2 \; \bigcirc \; 1 = 7$$

차: $15 - 7 = 8$
차의 반인 4만큼을 뺍니다.

1. 모든 수의 합과 계산 결과의 차를 구하고, 차의 반을 뺍니다.

예제1

다음 식을 보고 ◯ 안에 + 또는 − 를 넣어 올바른 식을 만드세요.

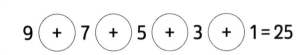

$$9 \; ⊕ \; 7 \; ⊕ \; 5 \; ⊕ \; 3 \; ⊕ \; 1 = 25$$

$$9 \; ◯ \; 7 \; ◯ \; 5 \; ◯ \; 3 \; ◯ \; 1 = 19$$

$$9 \; ◯ \; 7 \; ◯ \; 5 \; ◯ \; 3 \; ◯ \; 1 = 15$$

$$9 \; ◯ \; 7 \; ◯ \; 5 \; ◯ \; 3 \; ◯ \; 1 = 5$$

예제 2

다음 식에서 + 한 개를 − 로 바꾸어 올바른 식을 만드세요.

$$10 + 9 + 8 + 7 + 6 + 5 = 29$$

$$10 + 9 + 8 + 7 + 6 + 5 = 33$$

1 주어진 수를 한 번씩 모두 사용하여 합이 가장 큰 식과 합이 가장 작은 식을 만들고 계산하세요.

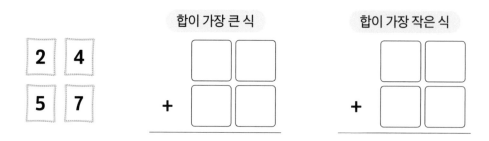

2 예원이는 계산기를 사용하여 차가 가장 큰 식과 가장 작은 식을 계산하려고 하였습니다. 노란색 수 버튼 중 4개를 사용한다고 할 때, 예원이가 계산한 식을 쓰고 계산 결과를 구하세요.

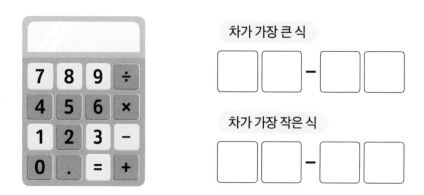

3 다음 ○ 안에 + 또는 − 를 넣어 만들 수 있는 식의 계산 결과를 모두 쓰세요.

$$8 \bigcirc 1 \bigcirc 4 \bigcirc 3$$

4 주어진 수 중 예원이는 두 수를 부르고 지호는 네 수를 불렀습니다. 두 사람이 부른 수의 합이 같을 때, 예원이가 부른 수를 모두 쓰세요.

19	3	8	5	7	10

내가 얘기한 수의 합은 모든 수의 합의 반이지.

예원

5 주머니 안의 수과 연산 기호를 한 번씩 모두 사용하여 올바른 식을 만드세요.

$$\boxed{} \times \boxed{} \bigcirc \boxed{} \bigcirc \boxed{} = 39$$

6 주어진 수 카드를 한 번씩 모두 사용하여 차가 가장 큰 식과 차가 가장 작은 식을 만들고 계산하세요.

$$\boxed{1} \quad \boxed{6} \quad \boxed{3} \quad \boxed{7} \quad \boxed{5} \quad \boxed{9}$$

차가 가장 큰 식

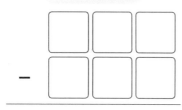

차가 가장 작은 식

7 보기와 같은 방법으로 수 사이에 + 또는 − 를 넣어 올바른 식을 만드세요. (단, 모든 수 사이에 연산 기호가 들어갈 필요는 없습니다.)

보기

$$1+2+3 \quad 4+5=42$$

(1) $1 \quad 2 \quad 3 \quad 4 = 13$

(2) $1 \quad 2 \quad 3 \quad 4 \quad 5 = 69$

8 다음 식에서 + 한 개를 빼고 계산하면 계산 결과가 59가 됩니다. 빼고 계산한 + 에 ✕표 하세요.

$$3 + 7 + 9 + 5 + 2 + 6 = 59$$

1 주어진 수 카드를 한 번씩 모두 사용하여 다음 식을 완성하세요.

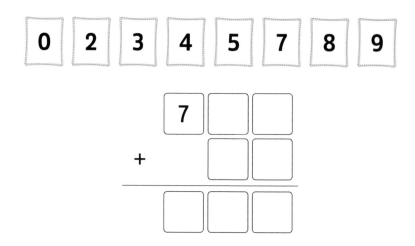

2 이웃한 카드의 수를 더하여 2부터 9까지의 수를 모두 만들 수 있도록 ㉠에서 � 중의 한 곳에 수 카드 3을 놓으려고 합니다. 다음 중 수 카드 3을 놓을 수 없는 곳의 기호를 쓰세요.

㉠ 1 ㉡ 1 ㉢ 1 ㉣ 2 ㉤ 2 ㉥

⬤ 주어진 수 카드를 한 번씩 모두 사용하여 합이 가장 큰 식과 가장 작은 식을 만들고 계산하세요. (단, 수의 앞자리에 0을 쓸 수 있습니다.)

| 0 | 1 | 2 | 3 | 4 | 5 | 6 | 7 | 8 | 9 |

합이 가장 큰 식

$$\begin{array}{r} \square\square\square \\ \square\square \\ +\qquad 3 \\ \hline \square\square\square\square \end{array}$$

합이 가장 작은 식

$$\begin{array}{r} \square\square\square \\ \square\square \\ +\qquad 9 \\ \hline \square\square\square\square \end{array}$$

합이 가장 작은 식의 계산 결과 앞자리에 0을 넣어보는게 어때?

04

어떤 수 구하기 2

어떤 수 구하기 2

지호   예원

Math story teller

 : 수직선을 그리면 어떤 수를 쉽게 구할 수 있대. 어떻게 그리는 거지?

 : 수직선의 길이가 수의 크기를 나타낸다고 생각하면 돼. '반'이라고 하면 기존 수직선 길이를 반으로 나누고 '2배'라고 하면 기존 수직선 길이를 2배로 하는 거지.

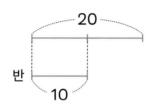
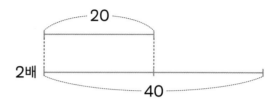

 : 그럼 덧셈은 수직선의 길이를 늘이고, 뺄셈은 길이를 줄여서 나타낼 수 있겠구나.

 : 맞아. 이제 어떤 수 문제를 수직선으로 해결할 수 있겠지?

● 어떤 수 █의 2배에 2를 더하면 **14**가 됩니다. 수직선의 ☐ 안에 알맞은 수 또는 모양을 쓰고, 어떤 수를 구하세요.

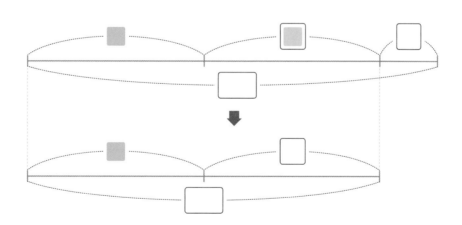

어떤 수의 2배가 얼마인지 알면 어떤 수도 알 수 있겠구나.

어떤 수 █ : ☐

상자 안에 쿠키 몇 개가 있었습니다. 지안이가 상자 안에 쿠키 몇 개를 넣었더니 상자 안 쿠키의 개수가 처음의 2배가 되었습니다. 지안이가 쿠키 3개, 동생이 쿠키 6개를 먹고 나서 상자에 남은 쿠키는 처음 쿠키의 개수와 같습니다. 처음 쿠키의 개수를 구하세요.

수직선으로 어떤 수 구하기

민서는 가지고 있는 사탕의 반을 먹고, 남은 사탕의 반을 동생에게 주었더니 남은 사탕이 5개가 되었습니다. 민서가 처음 가지고 있던 사탕의 개수를 구하세요.

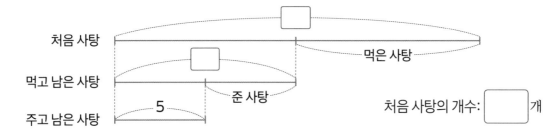

처음 사탕의 개수: ☐ 개

1. 수직선을 그릴 때는 처음 사탕의 개수부터 시작하여 개수의 변화를 차례로 수직선으로 나타냅니다.

2. 마지막 수직선의 수부터 거꾸로 생각하여 처음 개수를 구합니다.

3. 여러 개의 수직선에 그린 것을 하나의 수직선에 그릴 수도 있습니다.

예제 1

버스가 출발하고 첫 번째 정류장에서 승객 몇 명이 탔습니다. 두 번째 정류장에서는 5명이 타고, 세 번째 정류장에서는 7명이 타고 난 후 버스에 있는 승객은 첫 번째 정류장에서 탄 승객 수의 3배가 되었습니다. 첫 번째 정류장에서 탄 승객은 몇 명입니까? (단, 첫 번째 정류장에 도착하기 전에는 버스에 승객이 없었습니다.)

예제 2

예원이는 가지고 있는 구슬을 세 상자에 똑같이 나누어 담았습니다. 한 상자는 친구에게 주고, 남은 구슬 중 6개는 동생에게 주었더니 10개가 남았습니다. 예원이가 처음에 가지고 있던 구슬은 몇 개입니까?

지호가 가진 딸기맛 젤리와 포도맛 젤리는 모두 11개입니다. 딸기맛 젤리가 포도맛 젤리보다 5개 더 많다고 할 때, 딸기맛 젤리와 포도맛 젤리의 개수를 각각 구하세요.

딸기맛 젤리: ⬚ 개, 포도맛 젤리: ⬚ 개

합과 차를 알 때 두 수 구하기

⑦ + ⓛ = 15, ⑦ − ⓛ = 3

⑦ + ⓛ

⑦ − ⓛ

두 수직선 더하기

15 + 3 = ⬚

⑦: ⬚ , ⓛ: ⬚

1. 두 수직선을 더한 것은 두 수의 합과 차를 더한 것과 같습니다.

2. ⑦과 ⓛ의 합과 차를 더한 것을 반으로 나눈 것은 두 수 중 큰 수 ⑦과 같습니다.

예제 1

필통 안에 빨간색 색연필과 파란색 색연필이 있습니다. 색연필은 모두 28자루이고, 빨간색 색연필이 파란색 색연필보다 4자루 더 많다고 할 때, 빨간색 색연필은 몇 자루입니까?

예제 2

지한이가 강아지를 안고 무게를 재면 37 kg입니다. 지한이가 강아지보다 27 kg 더 무겁다고 할 때, 강아지의 무게는 몇 kg입니까?

1 민서가 가지고 있는 돈의 반을 쓴 후 500원을 더 썼더니 1200원이 남았습니다. 민서가 처음 가지고 있던 돈은 얼마입니까?

2 ♥, ●가 서로 다른 수를 나타냅니다. 다음을 보고 각 모양이 나타내는 수를 구하세요.

$$♥ + ● = 23$$
$$♥ - ● = 9$$

♥ : ⬜ , ● : ⬜

3 귤 25개가 들어 있는 바구니에 어머니가 귤 몇 개를 더 넣었습니다. 예원이가 귤 18개를 먹은 후 남은 귤의 개수가 어머니가 귤을 바구니에 넣은 후의 개수의 반이 되었다고 할 때, 어머니가 바구니에 넣은 개수는 몇 개입니까?

4 지호네 반 학생은 모두 26명입니다. 이 반의 남학생 수가 여학생보다 2명 더 많다고 할 때, 여학생은 몇 명입니까?

5 어느 동물원에 있는 사슴과 노루가 모두 18마리입니다. 이 동물원에 사슴 두 마리를 더 들여오면 사슴과 노루의 수가 서로 같아집니다. 노루는 모두 몇 마리입니까?

6 지호가 가진 구슬 몇 개를 주머니 4개에 똑같이 나누어 담은 후 주머니 1개를 민서에게 주었습니다. 지호는 남은 구슬을 다시 주머니 2개에 나누어 담은 후 주머니 1개를 예원이에게 주었습니다. 지호에게 남은 구슬이 15개라고 할 때, 민서가 받은 구슬의 개수를 구하세요.

7 지한이는 가지고 있는 딱지 개수의 반보다 2개 더 많은 딱지를 예원이에게 주고, 남은 딱지 개수의 반보다 2개 더 많은 딱지는 민서에게 주었습니다. 남은 딱지가 3개일 때, 처음 지한이가 가지고 있던 딱지는 몇 개입니까?

8 떡을 파는 할머니가 고개를 지날 때마다 호랑이에게 가지고 있는 떡의 반보다 1개 더 많은 떡을 주기로 하였습니다. 할머니가 호랑이를 3번 만나고 난 후 남은 떡이 2개라고 할 때, 호랑이를 만나기 전 할머니가 가지고 있는 떡은 몇 개입니까?

1 지한이가 가지고 있던 쿠키 중 11개를 형에게 주고, 동생에게 쿠키 18개를 받았습니다. 동생에게 쿠키를 받은 후의 쿠키 개수가 형에게 쿠키를 준 후 쿠키 개수의 3배가 되었습니다. 지한이가 가지고 있던 쿠키의 개수는 몇 개입니까?

2 ●, ▲, ■는 서로 다른 수를 나타냅니다. 다음을 보고 ▲가 나타내는 수를 구하세요.

$$● + ▲ + ■ = 22$$
$$● + ▲ - ■ = 4$$
$$● - ▲ = 3$$

● 다음은 ● 2개, ■ 3개를 양팔 저울에 올린 것입니다. 수가 적힌 추는 추의 무게를 나타낸다고 할 때,
●와 ■의 무게를 각각 구하세요.

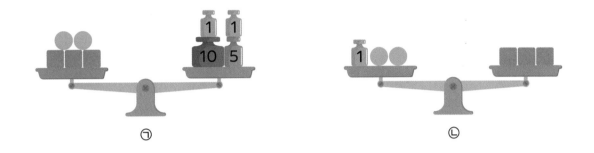

ㄱ   ㄴ

(1) ● 2개의 무게를 ●, ■ 3개의 무게를 ■ 라고 할 때, ㄱ을 식으로 나타내세요.

식 ①: _____

(2) ●, ■를 이용하여, ㄴ을 식으로 나타내세요.

식 ②: _____

(3) 식 ①, ②를 이용하여 ●, ■를 구하세요.

(4) (3)을 이용하여 ●와 ■의 무게를 각각 구하세요.

양팔 저울은 양쪽에 놓인
무게가 같으면 기울지 않아.

05

길의 가짓수

길의 가짓수

지호 예원

 : 예원아, 우리 학교 끝나면 문구점에서 준비물 사고 우리 집에 가서 놀자.

 : 그래. 그런데 너네 집까지 어떤 길로 가면 될까?

 : 학교에서 문구점을 지나 우리 집까지 가는 방법은 여러 가지가 있어.

● 학교에서 문구점 지나 지호네 집까지 가는 방법을 모두 그리고, 방법의 가짓수를 쓰세요. (단, 한 번 지나간 곳은 다시 지나지 않습니다.)

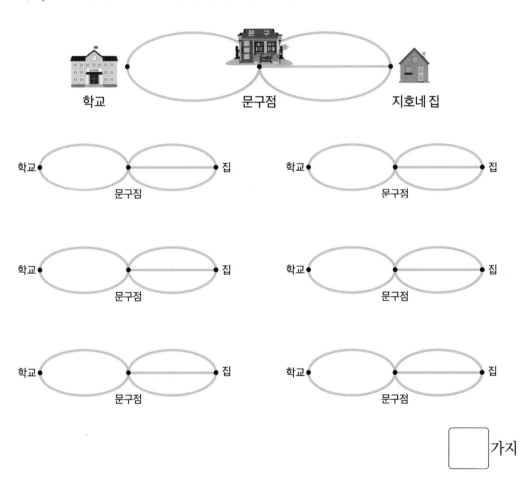

학교 문구점 지호네 집

학교 ● 집 학교 ● 집
문구점 문구점

학교 ● 집 학교 ● 집
문구점 문구점

학교 ● 집 학교 ● 집
문구점 문구점

가지

출발점에서 도착점까지 가는 가장 짧은 길을 최단 거리라고 합니다. 개미가 점 ㉠에서 점 ㉡까지 가는 최단 거리를 모두 나타내고, 최단 거리의 가짓수를 구하세요.

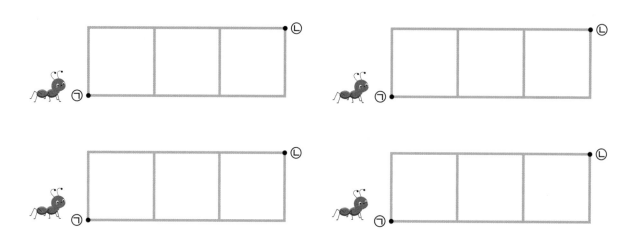

합으로 구하는 최단 거리의 가짓수

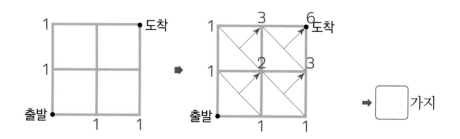

1. 각 갈림길에 적힌 수는 출발점에서 각 갈림길까지 갈 수 있는 최단 거리의 가짓수입니다.
2. 출발점부터 일직선으로 된 길의 각 갈림길에 1을 씁니다.
3. 대각선 두 수의 합을 더하여 다음 갈림길에 수를 쓰고, 도착점의 수가 최단 거리의 가짓수입니다.

예제 1

각 갈림길의 ☐ 안에 알맞은 수를 쓰고, 집에서 도서관까지 가는 최단 거리의 가짓수를 구하세요.

(1)

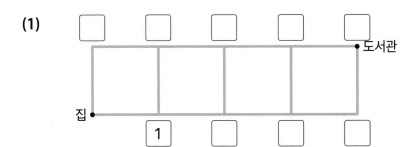

☐ 가지

(2)

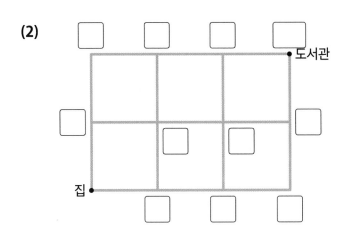

☐ 가지

예제 2

공원에서 놀이터까지 가는 최단 거리의 가짓수를 구하세요.

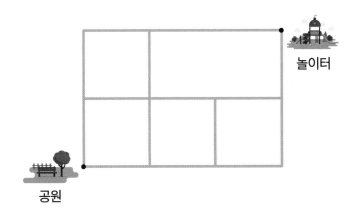

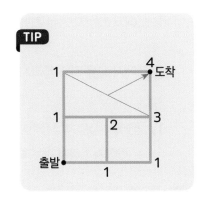

예원이가 학교에서 집에 왔다가 놀이터에 가는 최단 거리의 가짓수를 구하세요.

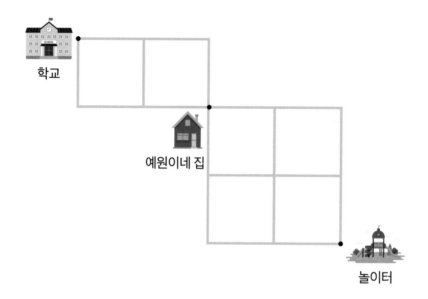

학교

예원이네 집

놀이터

곱으로 구하는 최단 거리의 가짓수

① ㉠에서 ㉡까지 가는 최단 거리의 가짓수: ☐ 가지

② ㉡에서 ㉢까지 가는 최단 거리의 가짓수: ☐ 가지

③ ㉠에서 ㉡을 지나 ㉢까지 가는 최단 거리의 가짓수: ☐ × ☐ = ☐ (가지)

....

1. (㉠에서 ㉡을 지나 ㉢까지 가는 최단 거리의 가짓수)

= (㉠에서 ㉡까지 가는 최단 거리의 가짓수) × (㉡에서 ㉢까지 가는 최단 거리의 가짓수)

예제 1

강아지가 뼈다귀를 가지고 집으로 가는 최단 거리의 가짓수를 구하세요.

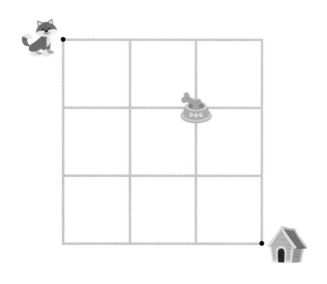

예제 2

각 마을 사이의 길이 다음과 같을 때, ㉠ 마을에서 ㉡ 마을, ㉢ 마을을 차례로 지나 ㉣ 마을까지 가는 최단 거리의 가짓수를 구하세요.

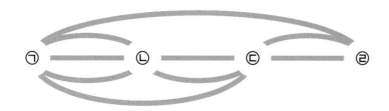

1 지호가 집에서 편의점까지 가는 방법은 모두 몇 가지입니까? (단, 한 번 지나간 길은 다시 지나지 않습니다.)

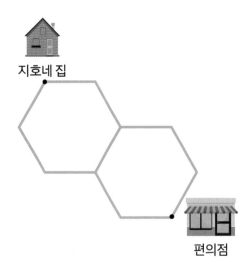

2 집에서 우체국까지 가는 최단 거리의 가짓수를 구하세요.

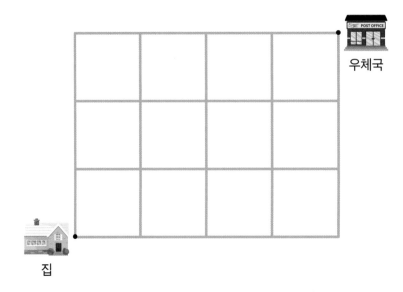

3 곰돌이가 길을 따라 꿀 단지가 있는 곳까지 가는 최단 거리의 가짓수를 구하세요.

4 길을 따라 도넛 가게에서 사탕 가게에 들러 집으로 가는 방법의 가짓수를 구하세요. (단, 한 번 지나간 길은 다시 지나지 않습니다.)

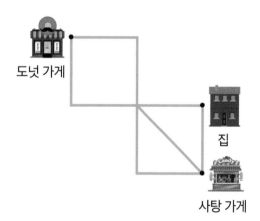

5 다람쥐가 길을 따라 도토리가 있는 곳까지 가는 최단 거리의 가짓수를 구하세요.

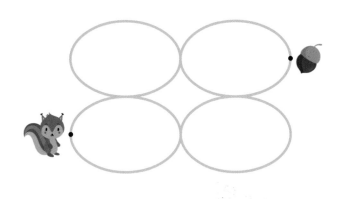

6 집에서 문구점까지 가는 최단 거리의 가짓수를 구하세요.

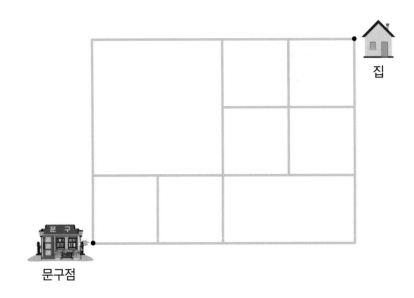

7 나비가 길을 따라 꽃이 있는 곳까지 가는 최단 거리의 가짓수를 구하세요.

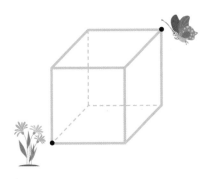

8 집에서 출발하여 도서관을 들러 놀이터에 가는 최단 거리의 가짓수를 구하세요.

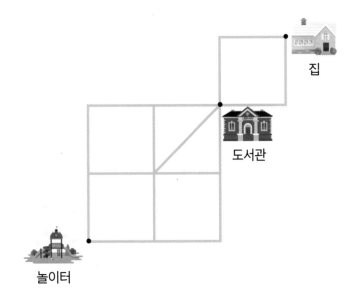

집

도서관

놀이터

1 지호가 집에서 우체국에 갈 때, 놀이터를 거쳐 가는 최단 거리의 가짓수와 공원을 거쳐 가는 최단 거리의 가짓수의 차를 구하세요.

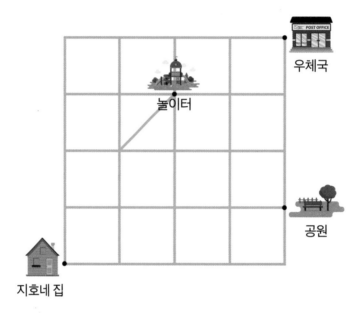

2 지한이가 집에서 약국에 가는 최단 거리의 가짓수를 구하세요. (단, 공사 중인 길은 지나지 못합니다.)

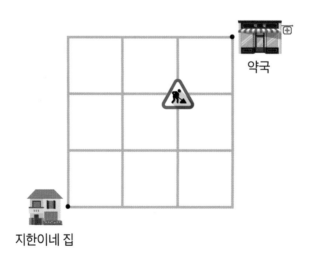

● 개미가 ㉠에서 출발하여 ㉡을 지나 ㉢까지 가는 최단 거리를 모두 그리세요.

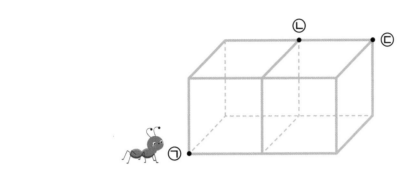

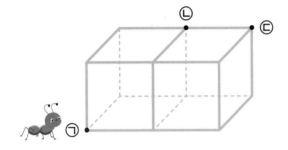

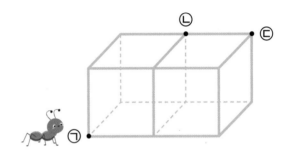

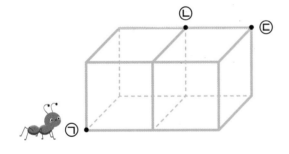

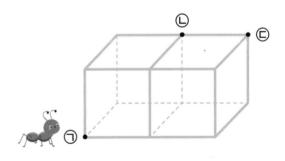

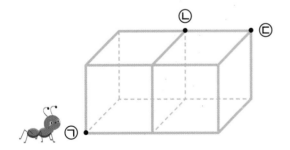

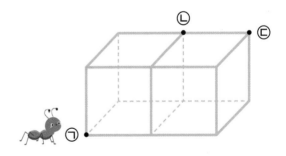

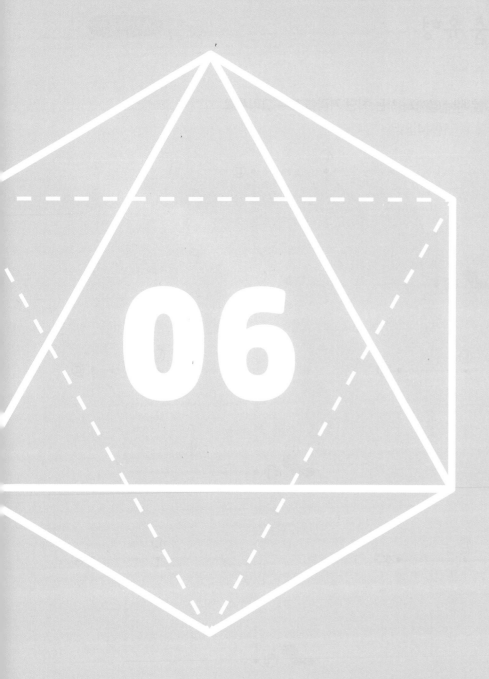

06

리그와 토너먼트

리그와 토너먼트

지호　예원

Math story teller

 : 우리 모둠 친구들끼리 팔씨름 대회를 할 거야.

 : 대회를 리그 방식으로 할 거야? 토너먼트 방식으로 할 거야?

 : 리그? 토너먼트? 그게 뭐야?

 : 리그는 경기에 참가한 모든 팀들이 서로 한 번씩 경기하여 순위를 결정하는 경기 방식이야.
토너먼트는 경기에 참가한 모든 팀들이 두 팀씩 경기를 하여 진 팀은 탈락하고 이긴 팀끼
리 다시 경기하는 경기 방식이지.

● 예원이네 모둠은 모두 **4**명입니다. 팔씨름 대회를 리그 방식으로 할 때와 토너먼트 방식으로 할 때 경기하는 팀끼리 선을 그어 나타내고, 각각의 경기 횟수를 구하세요.

리그 방식

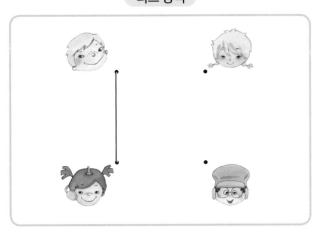

☐ 번

토너먼트 방식

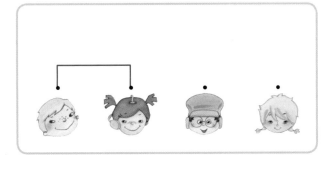

☐ 번

리그 방식으로 진행된 어느 축구 대회에 모두 6팀이 참가하였습니다. 이 대회의 총 경기 횟수를 구하세요.

리그 방식의 경기 횟수

팀: 3팀

경기 횟수: 1 + 2 = ☐ (번)

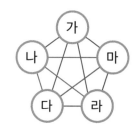

팀: 5팀

경기 횟수: ☐ + ☐ + ☐ + ☐ = ☐ (번)

1. (리그 방식의 총 경기 횟수) = 1 + 2 + …… + (팀 수 − 1)

예제 1

친구 8명이 배드민턴 경기를 합니다. 서로 한 번씩 경기하여 우승자를 정한다고 할 때, 총 경기 횟수를 구하세요.

예제 2

어느 대회에 참가한 대표들이 모두 서로 한 번씩 악수를 합니다. 악수를 한 횟수가 21번이라고 할 때, 대회에 참가한 대표는 모두 몇 명입니까?

서로 한 번씩 악수하는 것은 서로 한 번씩 경기하는 것과 같지.

토너먼트 방식으로 진행된 어느 탁구 대회에 모두 6팀이 참가하였습니다. 이 대회의 총 경기 횟수를 구하세요.

토너먼트 방식의 경기 횟수

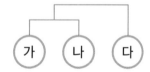

팀: 3팀

경기 횟수: 3 − ☐ = ☐ (번)

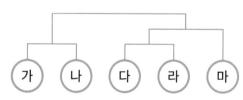

팀: 5팀

경기 횟수: 5 − ☐ = ☐ (번)

1. (토너먼트 방식의 총 경기 횟수) = (팀 수) − 1

예제 1

토너먼트 방식으로 진행된 어느 씨름 대회에 선수 8명이 참가하였습니다. 우승자는 경기를 몇 번 이겨야 합니까?

예제 2

어느 바둑 대회에 25명이 참가하였습니다. 대회는 토너먼트 방식으로 진행되고 우승자 2명을 뽑습니다. 총 경기 횟수는 몇 번입니까?

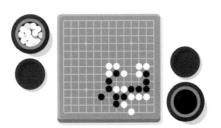

1 원 위의 점 7개 중 두 점을 이어 그을 수 있는 서로 다른 선분은 모두 몇 개입니까? (단, 원은 생각하지 않습니다.)

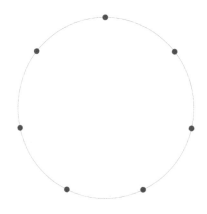

2 어느 대회에 참가한 모든 팀들이 두 팀씩 경기를 하여 진 팀은 탈락하고 이긴 팀끼리 다음 경기를 합니다. 이 대회의 경기 횟수가 모두 15번이라고 할 때, 경기에 참가한 팀은 모두 몇 팀입니까?

3 토너먼트 방식으로 진행되는 탁구 대회가 있습니다. 이 대회는 7월 19일에서 7월 25일까지 진행되고 매일 경기가 2번씩 열렸다고 할 때, 이 대회에 모두 몇 팀이 참가했습니까?

7월

일	월	화	수	목	금	토
			1	2	3	4
5	6	7	8	9	10	11
12	13	14	15	16	17	18
19	20	21	22	23	24	25
26	27	28	29	30	31	

탁구 대회

4 리그 방식으로 진행된 어느 대회의 총 경기 횟수는 55번입니다. 이 대회를 토너먼트 방식으로 진행한다면 총 경기 횟수는 몇 번입니까?

이 대회에 참가한 팀은 모두 몇 팀일까?

5 어느 배구 대회의 총 경기 횟수가 36번입니다. 참가한 팀의 각 경기 횟수가 모두 같다고 할 때, 이 대회에 참가한 팀은 모두 몇 팀입니까?

6 어느 학교의 2학년에는 반이 모두 4개입니다. 1반부터 4반이 리그 방식으로 피구 대회를 한 결과의 일부가 지워졌습니다. 3반의 대회 결과를 구하세요. (단, 무승부는 없습니다.)

반	1반	2반	3반	4반	합
승	2			1	
패	1	3			

7 어느 농구 대회에 16팀이 참가하였습니다. 이 대회는 토너먼트 방식으로 우승자를 결정한 후 준결승전에서 진 두 팀이 대결하여 3, 4위를 가리는 경기를 합니다. ㉠ 팀은 3, 4위 전에서 패하여 4위를 하였다고 할 때, ㉠ 팀은 이 대회에서 모두 몇 번 경기한 것입니까?

다른 대회보다 경기 횟수가 1번 더 많은거야.

8 어느 팔씨름 대회에 100명이 참가하였습니다. 마지막 10명이 남을 때까지는 토너먼트 방식으로 진행되고, 10명이 남으면 리그 방식으로 진행하여 우승자를 뽑습니다. 이 대회의 총 경기 횟수는 몇 번입니까?

1 어느 탁구 대회가 토너먼트 방식으로 진행되었습니다. 다음을 보고 대진표의 빈칸에 알맞은 팀을 써 넣으세요.

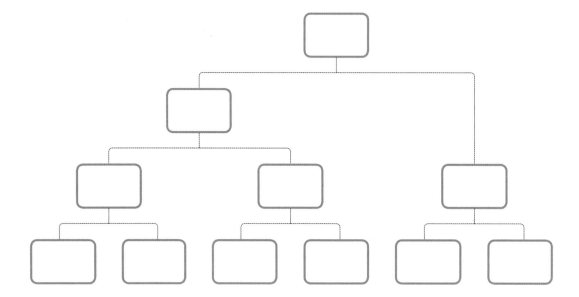

- ㉠팀, ㉡팀, ㉢팀, ㉣팀, ㉤팀, ㉥팀이 대회에 참가하였습니다.
- ㉠팀은 모두 3번 경기에서 이겼습니다.
- ㉤팀은 첫 경기는 ㉣팀, 두 번째 경기는 ㉠팀과 했습니다.
- ㉡팀은 ㉥팀을 이기고 바로 결승전에 올라갔습니다.

● 세계 10개국 대표들이 모여 회의를 합니다. 나라마다 대표 2명이 오고, 모인 사람들은 모두 다른 나라 대표들과 서로 한 번씩 악수를 합니다. 악수를 한 총 횟수를 구하세요.

● 어느 축구 대회에 모두 32팀이 참가하였습니다. 4팀씩 여덟 조로 나누어 리그 방식으로 진행하여 각 조마다 2팀씩, 모두 16팀을 뽑습니다. 16팀은 토너먼트 방식으로 4팀이 남을 때까지 경기를 합니다. 4팀이 남을 때까지 몇 경기를 한 것입니까?

07

논리 추리

논리 추리

지호   예원

 : 지호야, 연역적 추리가 뭐야?

 : 주어진 조건과 사실에서 논리적으로 어떤 결론을 이끌어내는 것을 연역적 추리라고 해. 연역적 추리를 할 때 주어진 사실을 표로 나타내면 좀 더 쉽게 결론을 이끌어낼 수 있어.

 : 우리도 표를 그려서 연역적 추리를 해보자.

● 다음을 읽고 지호가 산 자전거의 색깔을 구하세요.

• 예원, 민서, 지호가 모두 다른 색깔 자전거를 샀습니다.
• 자전거의 색깔은 각각 빨간색, 파란색, 노란색입니다.
• 예원이는 빨간색 자전거를 사지 않았습니다.
• 예원이와 지호는 노란색 자전거를 사지 않았습니다.

	빨간색	파란색	노란색
예원	✕		
민서			
지호			

표의 빈칸에 조건에 맞게 ○ 또는 ✕를 하는 거야.

그럼 예원이 자전거가 빨간색이 아니니까 빨간색에 ✕표 할래.

예원, 지호, 민서, 지한이 분식점에서 떡볶이, 순대, 김밥, 라면 중 서로 다른 음식을 하나씩 주문하였습니다. 지호가 주문한 음식은 무엇입니까?

> • 순대를 주문한 사람은 지한이의 친구입니다.
> • 예원이는 민서가 주문한 떡볶이를 싫어합니다.
> • 예원이는 라면을 주문하였습니다.

	떡볶이	순대	김밥	라면
예원				
지호				
민서				
지한				

연역표 그리기

순대를 주문한 사람은 지한이의 친구입니다.
: 순대를 주문한 사람은 지한이가 아닙니다.

예원이는 민서가 주문한 떡볶이를 싫어합니다.
: 민서는 떡볶이를 주문하였습니다.
  다른 친구들은 떡볶이를 주문하지 않았습니다.

	떡볶이	순대	김밥	라면
예원				
지호				
민서				
지한		✕		

➡

	떡볶이	순대	김밥	라면
예원	✕			
지호	✕			
민서	○	✕	✕	✕
지한	✕	✕		

1. 조건을 읽고 확실히 답이 아닌 칸에 ✕표 합니다.

2. 답인 칸에 ○표 하고, ○표가 있는 가로, 세로줄의 다른 칸에 모두 ✕표 합니다.

3. ✕표만 되어 있는 줄에 한 칸이 남으면 그 칸에는 ○표를 합니다.

예제 1

혜진, 동욱, 예원은 딸기, 사과, 복숭아 중 서로 다른 과일을 하나씩 좋아합니다. 혜진이는 복숭아를 좋아하고, 예원이는 딸기를 싫어합니다. 예원이가 좋아하는 과일은 무엇입니까?

	딸기	사과	복숭아
혜진			
동욱			
예원			

예제 2

가, 나, 다, 라는 서로 다른 직업을 가지고 있습니다. 가, 나, 다, 라 중 선생님은 누구입니까?

- 변호사는 선생님과 **가**와 친합니다.
- **가**의 옆집에는 디자이너가 삽니다.
- **나**와 변호사는 취미가 같습니다.
- **다**는 새로운 디자인 작업을 시작했습니다.

	변호사	선생님	디자이너	의사
가				
나				
다				
라				

친구 6명이 줄을 서있습니다. 다음과 같은 의자에 친구들이 앉으려고 할 때, 이웃하여 서있는 친구가 앞, 뒤, 양옆의 의자에 앉지 않도록 친구들의 자리를 정하세요.

예원   지호   수아   지한   민서   호수

예원

호수

위치 정하기

1, 2, 3, 4, 5, 6을 이웃하는 수가 이웃하는 자리에 오지 않도록 넣을 때

	1	
6		

➡

	1	3
2	6	

➡

	1	3
2	6	

(✕) (색칠한 칸에 4, 5를 모두 넣을 수 없습니다.)

	1	
6		

➡

	1	
2	6	3

➡

4	1	5
2	6	3

(◯)

....

1. 이웃하는 수가 가장 적은 1과 6을 이웃하는 자리가 가장 많은 중앙에 놓습니다.

2. 1과 6의 자리를 정한 후 2와 3, 4와 5의 순서로 자리를 정합니다.

3. 자리를 정할 때는 놓을 수 없는 자리를 먼저 생각합니다.

예제 1

1부터 8까지의 수 8개를 다음 모양 안에 한 번씩 넣으려고 합니다. 가로, 세로, 대각선 방향으로 이웃하는 칸에는 이웃한 수가 들어가지 않도록 빈칸에 알맞은 수를 넣으세요.

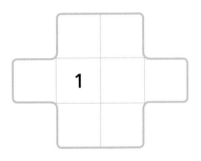

예제 2

가, 나, 다, 라 네 명이 4층짜리 아파트에 삽니다. 각 층에 1명만 산다고 할 때, 다음을 읽고 각 층에 사는 사람은 누구인지 쓰세요.

- **가**는 나보다 높은 층에 삽니다.
- **다**는 가보다 높은 층에 삽니다.
- **라**보다 높은 층에 사는 사람은 없습니다.

1층: ☐, 2층: ☐, 3층: ☐, 4층: ☐

1 어느 100 m 달리기 대회에 가, 나, 다, 라, 마, 바 6명이 참가하였습니다. 다음을 읽고 달리기 대회의 결과를 1등부터 6등까지 차례로 쓰세요.

> • **가**보다 느린 사람은 **4**명입니다.
> • **다**보다 느린 사람은 **바** 밖에 없습니다.
> • **마**는 **가**보다 느리고 **라**보다 빠릅니다.

1등	2등	3등	4등	5등	6등
□	□	□	□	□	□

2 지호, 예원, 민서, 지한이는 두산, 롯데, 한화, LG 중 각각 다른 야구팀을 좋아합니다. 다음을 보고 민서가 좋아하는 야구팀을 구하세요.

> • 민서와 지한이는 LG를 좋아하지 않습니다.
> • 지한이는 두산을 좋아하지 않습니다.
> • 예원이는 한화를 좋아합니다.

	두산	롯데	한화	LG
지호				
예원				
민서				
지한				

3 예원, 지호, 민서, 지한이는 서로 다른 애완 동물을 한 마리씩 기릅니다. 다음을 보고 강아지, 고양이, 고슴도치, 햄스터 중 민서가 기르는 동물을 구하세요.

> • 지호는 강아지와 고슴도치를 싫어합니다.
> • 예원이는 고양이를 기릅니다.
> • 민서는 고슴도치를 기르지 않습니다.

4 상민, 민수, 범상, 정아, 혜영이는 성이 허, 양, 채, 김, 정씨로 모두 다릅니다. 다음을 보고 혜영이의 성을 구하세요.

> • 민수의 아버지는 채씨입니다.
> • 상민이와 김씨는 허씨와 친구입니다.
> • 정씨인 범상이는 김씨와 결혼했습니다.
> • 허씨는 혜영이의 옆집에 삽니다.

5 다음을 읽고 표의 빈칸에 1부터 9까지의 수를 한 번씩 모두 써넣으세요.

- 7은 8 위에 있습니다.
- 3은 맨 아랫줄 왼쪽에 있습니다.
- 5는 8의 오른쪽에 있습니다.
- 2는 1의 옆에 있지 않습니다.
- 1은 8 아래에 있습니다.
- 9는 7의 오른쪽에 있습니다.
- 4는 8의 왼쪽에 있습니다.

6 민수, 범상, 정아, 혜영이는 국어, 영어, 수학, 과학 중 서로 다른 과목을 하나씩 좋아합니다. 민수는 과학 또는 영어를 좋아하고, 범상이는 수학 또는 국어를 좋아합니다. 정아는 국어, 과학 또는 영어를 좋아하고, 혜영이는 수학을 좋아합니다. 국어를 좋아하는 사람은 누구입니까?

7 아빠, 엄마, 민서, 오빠 네 명이 영화관에 갔습니다. 네 명의 영화관 좌석 번호가 12, 13, 14, 15일 때, 다음을 보고 오빠가 앉을 수 있는 좌석 번호를 모두 쓰세요.

> • 아빠의 번호는 엄마의 번호보다 큽니다.
> • 아빠의 번호는 민서의 번호보다 작습니다.

8 현정, 유리, 지연 세 사람은 각각 서울, 부산, 천안에 살고, 직업은 의사, 요리사, 선생님 중 하나입니다. 다음을 보고 지연이 사는 곳과 직업을 구하세요.

> • 현정은 부산에 살지 않고 유리는 서울에 살지 않습니다.
> • 부산에 사는 사람은 선생님이 아닙니다.
> • 서울에 사는 사람은 의사입니다.
> • 유리는 요리사가 아닙니다.

1 다음은 예원, 지호, 지한이가 달리기를 하고 결과를 이야기한 것입니다. 세 친구가 모두 거짓말을 했다고 할 때, 예원, 지호, 지한이의 등수를 각각 구하세요.

예원 ☐ 등 지호 ☐ 등 지한 ☐ 등

2 지호, 예원, 민서, 지안 네 사람은 빨간색, 파란색, 노란색, 초록색 중 좋아하는 색깔을 두 개씩 말하였습니다. 다음을 읽고 예원이가 좋아하는 색깔을 모두 쓰세요.

> 빨간색을 좋아하는 사람은 3명입니다.
> 파란색과 노란색을 좋아하는 사람은 각각 2명씩입니다.
> 노란색과 초록색을 모두 좋아하는 사람은 민서뿐입니다.
> 지호는 파란색, 예원이는 빨간색을 좋아합니다.
> 지안이는 빨간색과 파란색를 좋아합니다.

● 혜진, 희주, 유림이가 어느 백화점에서 상품을 판매하는 층수를 예상하였습니다. 백화점에서는 각 층에 식품, 화장품, 전자제품, 가구를 파는 매장이 있습니다. 세 명의 예상이 한 개씩만 맞았다고 할 때, 각 층에서 팔고 있는 것은 무엇입니까?

> · **혜진**: 2층은 식품, 3층은 화장품
> · **희주**: 1층은 전자제품, 2층은 가구
> · **유림**: 4층은 전자제품, 1층은 화장품

1층	2층	3층	4층

● 어느 아파트에서 회의가 모두 3번 있었습니다. 아파트에는 네 쌍의 부부가 살고, 회의에 부부 중 한 사람이 참석합니다 회의마다 참석한 사람은 다음과 같고, 동욱이는 회의에 한 번도 참석하지 못했습니다. 상수와 부부인 사람은 누구입니까?

	참가한 주민
첫 번째 회의	진호, 혜진, 상수, 보익
두 번째 회의	은정, 혜진, 설현, 보익
세 번째 회의	진호, 은정, 혜진, 순정

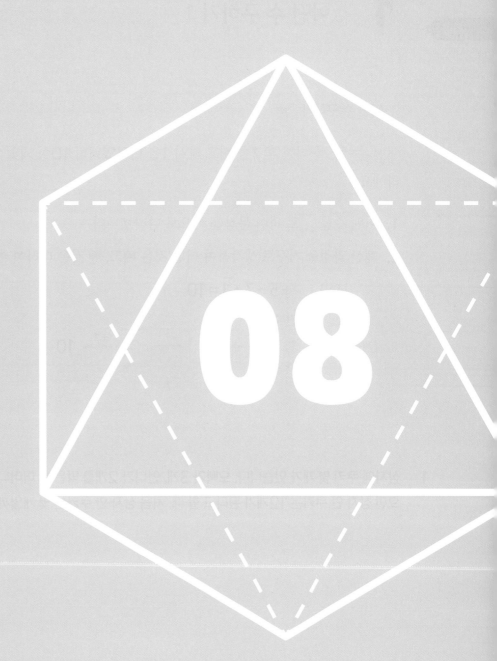

08

리뷰

| 어떤 수 구하기 |

어떤 수에 5를 더한 후 7을 빼고 다시 1을 더하였더니 10이 되었습니다. 어떤 수를 구하세요.

1. 어떤 수를 □로 하여 문장을 식으로 나타냅니다.

2. 계산 과정을 거꾸로 생각하여 더한 것은 빼고, 뺀 것은 더하여 어떤 수를 구합니다.

[식] $\square + 5 - 7 + 1 = 10$

[계산 과정]

어떤 수

$\boxed{11} \xrightarrow{+5} \boxed{16} \xrightarrow{-7} \boxed{9} \xrightarrow{+1} 10$

$-5 \qquad +7 \qquad -1$

---

1. 상자에 쿠키 몇 개가 있습니다. 오빠가 3개, 언니가 2개를 먹은 후 어머니가 쿠키 10개를 상자에 넣으면 상자 안 쿠키는 12개가 된다고 할 때, 처음 상자 안 쿠키는 몇 개일까요?

2. 민서가 구슬 몇 개를 샀습니다. 동생에게 구슬 6개를 받은 후 구슬의 반을 동생에게 주었더니 민서에게 남은 구슬이 5개가 되었습니다. 민서가 산 구슬은 몇 개입니까?

표 이용하여 어떤 수 구하기

㉠이 ㉡에게 ㉡이 가지고 있던 사탕의 개수만큼의 사탕을 주면 ㉠은 사탕 12개, ㉡은 사탕 10개를 가지게 됩니다.

1. 가지고 있던 개수만큼 받으면 ㉡이 가진 사탕의 나중 개수는 처음 사탕 개수의 **2**배가 됩니다.

2. ㉡에게 준 사탕의 개수를 더하여 ㉠이 가진 처음 사탕 개수를 구할 수 있습니다.

	㉠	㉡
나중	12	10
처음		5

➡

	㉠	㉡
나중	12	10
처음	17	5

---

1. 예원이와 지호가 가위바위보를 하여 진 사람이 이긴 사람에게 이긴 사람이 가지고 있는 동전의 개수만큼 동전을 주기로 했습니다. 처음에는 예원이가 이겼고, 다음에는 지호가 이겼습니다. 남은 동전이 각각 12개일 때, 처음 예원이와 지호가 가진 동전의 개수를 각각 구하세요.

	예원	지호
지호가 이긴 후	12	12
예원이가 이긴 후		
처음		

예원: ◻ 개, 지호: ◻ 개

2 연속수의 합

연속수의 합 구하기

1. 연속수가 짝수 개일 때

(연속수의 합) = (가장 큰 수와 가장 작은 수의 합) × (수의 개수의 반)입니다.

$$①+2+3+4+5+⑥= \boxed{7} \times \boxed{3} = \boxed{21}$$
$$\underset{7}{}$$

1. 연속수가 홀수 개일 때 (연속수의 합) = (중앙수) × (수의 개수)입니다.

2. 중앙수는 연속수 중 가장 작은 수와 가장 큰 수의 합을 반으로 나누어 구합니다.

$$1+2+3+④+5+6+7 = \boxed{4} \times \boxed{7} = \boxed{28}$$
중앙수

---

1. 다음 계산을 하세요.

(1) $1+3+5 = \boxed{}$

(2) $3+4+5+6 = \boxed{}$

(3) $3+4+5+6+7+8 = \boxed{}$

2. 지호는 오늘 문제집을 3쪽부터 11쪽까지 풀었습니다. 지호가 공부한 쪽수의 합을 구하세요.

연속수의 개수

1. ■부터 ▲까지의 연속수의 개수는 ▲ − (■ − 1)입니다.
   3부터 20까지의 연속수의 개수: 20 − (3 − 1) = 18(개)

2. ■보다 크고 ▲보다 작은 연속수의 개수는 (▲ − 1) − ■입니다.
   3보다 크고 20보다 작은 연속수의 개수: (20 − 1) − 3 = 16(개)

---

1. 다음 범위 안의 자연수의 개수를 구하세요.

(1) 9부터 20까지의 수

(2) 7보다 크고 32보다 작은 수

(3) 12부터 100까지의 수

(4) 5보다 크고 81보다 작은 수

2. 다음 계산을 하세요.

(1) 8부터 15까지 연속수의 합

(2) 6보다 크고 14보다 작은 연속수의 합

| 가장 큰 식, 가장 작은 식 |

1. 합이 가장 큰 식은 주어진 수 중 더 큰 수는 십의 자리, 더 작은 수는 일의 자리에 넣어서 만듭니다.

2. 합이 가장 작은 식은 주어진 수 중 더 작은 수는 십의 자리, 더 큰 수는 일의 자리에 넣어서 만듭니다.

1. 차가 가장 큰 식은 주어진 수로 만들 수 있는

(가장 큰 두 자리 수) − (가장 작은 두 자리 수)입니다.

2. 차가 가장 작은 식은 십의 자리에 차가 가장 작은 두 수를 넣고, 남은 수 중 작은 수는 빼어지는 수의 일의 자리, 큰 수는 빼는 수의 일의 자리에 넣습니다.

1. 2, 3, 4, 9를 한 번씩 모두 사용하여 합이 가장 작은 식과 차가 가장 큰 식, 작은 식을 만들고 계산하세요.

계산 결과와 빼는 수의 관계

1. 빼는 수의 2배만큼 계산 결과가 작아집니다.

2. 모든 수의 합과 계산 결과를 비교하여 차이나는 수의 반만큼을 뺍니다.

$$6 \; (+) \; 5 \; (+) \; 4 \; (+) \; 3 \; (+) \; 2 = 20$$

$$6 \; (+) \; 5 \; (+) \; 4 \; (-) \; 3 \; (+) \; 2 = 14$$

차: $20 - 14 = 6$
차의 반인 3만큼을 뺍니다.

---

1. 다음 ◯ 안에 + 또는 − 를 넣어 올바른 식을 만드세요.

$$1 \; \bigcirc \; 4 \; \bigcirc \; 6 \; \bigcirc \; 7 \; \bigcirc \; 8 = 10$$

2. 주어진 수 카드와 +, − 를 사용하여 올바른 식을 만드세요.

(1)

$$\boxed{} \; \bigcirc \; \boxed{} \; \bigcirc \; \boxed{} \; \bigcirc \; \boxed{} = 11$$

(2)

$$\boxed{} \; \bigcirc \; \boxed{} \; \bigcirc \; \boxed{} \; \bigcirc \; \boxed{} = 4$$

4 어떤 수 구하기 2

수직선으로 어떤 수 구하기

1. 수직선의 길이는 수의 크기를 나타냅니다.

2. 개수가 반이 되면 수직선의 길이를 반으로, 개수가 2배가 되면 수직선의 길이가 2배가 되도록 그립니다.

3. 어떤 수를 수직선으로 나타내어 구할 때 계산 과정을 차례로 수직선으로 나타내고, 계산 결과부터 거꾸로 생각하여 어떤 수를 구합니다.

어떤 수의 반에서 5를 빼면 7이 됩니다. 어떤 수를 구하세요.

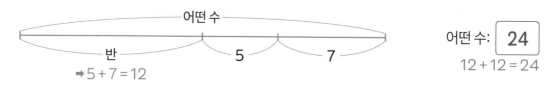

어떤 수: **24**
12 + 12 = 24

---

1. 어느 상자에 클립이 몇 개 있었습니다. 클립 몇 개를 더 사서 넣으면 클립의 개수는 처음의 2배가 됩니다. 민서가 클립 12개를 사용하고 남은 클립이 8개라고 할 때, 처음 클립은 몇 개입니까?

2. 예원이는 가지고 있던 사탕 중 반을 동생에게 주고 사탕 5개를 언니에게 받았습니다. 예원이가 가진 사탕이 12개라면 처음 사탕은 몇 개입니까?

합과 차를 알 때 어떤 수 구하기

1. 두 수의 합이 ■, 차가 ▲ : 두 수 중 큰 수는 ■와 ▲의 합을 반으로 나눈 것과 같습니다.

㉠ + ㉡ = 10, ㉠ − ㉡ = 2　　　　합 + 차 : 10 + 2 = 12, 큰 수 ㉠ : 12의 반인 6

1. 두 수의 합과 차가 다음과 같을 때 두 수를 구하세요.

(1) 합이 **16**, 차가 **6**인 두 수

(2) 합이 **30**, 차가 **4**인 두 수

2. 어느 학교에 있는 선생님은 모두 **38**명입니다. 여자 선생님이 남자 선생님보다 **30**명이 더 많다고 할 때, 여자 선생님은 모두 몇 명입니까?

3. 과일 바구니 안에 있는 사과와 배는 모두 **12**개입니다. 사과가 배보다 **2**개 더 많다고 할 때, 배는 몇 개입니까?

합으로 구하는 최단 거리의 가짓수

1. 출발점에서 일직선으로 된 길의 각 갈림길에 **1**을 씁니다.

2. 대각선 두 수의 합을 다음 갈림길에 씁니다.

3. 도착점의 수가 최단 거리의 가짓수입니다.

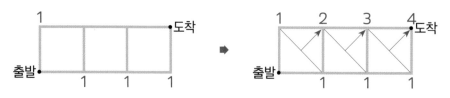

1. 예원이가 민서에게 가는 최단 거리의 가짓수를 구하세요.

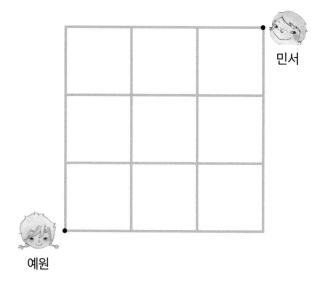

2. 집에서 우체국까지 가는 최단 거리의 가짓수를 구하세요.

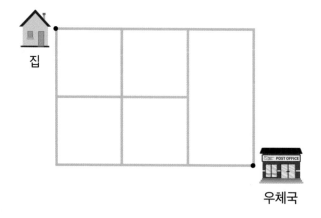

곱으로 구하는 최단 거리의 가짓수

1. (㉠에서 ㉡을 지나 ㉢까지 가는 최단 거리의 가짓수)

= (㉠에서 ㉡까지 가는 최단 거리의 가짓수) × (㉡에서 ㉢까지 가는 최단 거리의 가짓수)

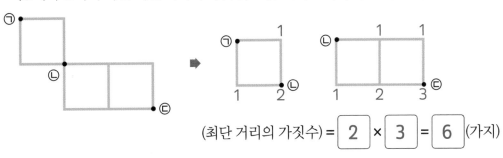

(최단 거리의 가짓수) = 2 × 3 = 6 (가지)

---

1. 지호가 문구점에 들렀다가 편의점에 가는 방법의 가짓수를 구하세요. (단, 한 번 지나간 길은 다시 지나지 않습니다.)

편의점　　　　　　문구점　　　　　　지호네 집

---

2. 지한이가 지호를 만나고 우체국에 가는 최단 거리의 가짓수를 구하세요.

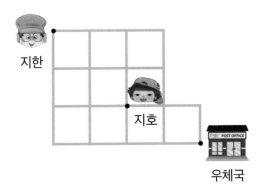

지한

지호

우체국

리그 방식의 경기 횟수

1. 리그는 경기에 참가하는 모든 팀들이 서로 한 번씩 경기하여 순위를 결정하는 경기 방식입니다.

2. (리그 방식의 총 경기 횟수) = 1 + 2 + ······ + (팀 수 − 1)

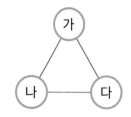

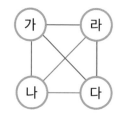

팀: 3팀
경기 횟수: 1 + 2 = 3(번)

팀: 4팀
경기 횟수: 1 + 2 + 3 = 6(번)

---

1. 마을 주민 12명이 모여 서로 한 번씩 팔씨름을 했습니다. 다음 물음에 답하세요.

   (1) 한 사람이 팔씨름을 하는 횟수를 구하세요.

   (2) 12명이 한 팔씨름의 총 횟수를 구하세요.

2. 리그 방식으로 진행되는 어느 피구 대회에 6팀이 참가하였습니다. 대회의 총 경기 횟수를 구하세요.

토너먼트 방식의 경기 횟수

1. 토너먼트는 경기에 참가하는 모든 팀들이 두 팀씩 경기를 하여 진 팀은 탈락하고 이 긴 팀끼리 다시 경기하는 경기 방식입니다.

2. (토너먼트 방식의 총 경기 횟수) = (팀 수) − 1

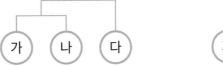

팀: 3팀

경기 횟수: 3 − 1 = 2(번)

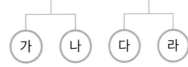

팀: 4팀

경기 횟수: 4 − 1 = 3(번)

1. 전국 씨름 대회가 열렸습니다. 다음을 보고 총 경기 횟수를 구하세요.

> ① 선수 12명이 참가하였습니다.
> ② 4명씩 세 조로 나누어 리그 방식으로 진행합니다.
> ③ 각 조의 1위가 모여 토너먼트 방식으로 우승자를 뽑습니다.

(1) 리그 방식으로 진행되는 한 조의 경기 횟수와 세 조의 경기 횟수를 차례로 쓰세요.

(2) 토너먼트 방식의 경기에 진출한 선수의 수와 토너먼트 방식의 경기 횟수를 차례로 쓰세요.

(3) 총 경기 횟수를 구하세요.

7 논리 추리

연역표 그리기

1. 조건을 읽고 확실히 답이 아닌 칸에 ✕표 합니다.

2. 답인 칸에 ◯표 하고, ◯표가 있는 가로, 세로줄의 다른 칸에 모두 ✕표 합니다.

3. ✕표만 되어 있는 줄에 한 칸만 남으면 그 칸에 ◯표 합니다.

> • 예원이는 농구, 축구를 좋아하지 않습니다.
> • 민서는 축구를 좋아합니다.

	농구	축구	배구
예원	✕	✕	◯
지호			✕
민서		◯	✕

➡

	농구	축구	배구
예원	✕	✕	◯
지호	◯	✕	✕
수아	✕	◯	✕

1. 지한, 지호, 예원이는 음악, 미술, 체육 중 서로 다른 한 과목씩을 좋아합니다. 다음을 보고 지호가 좋아하는 과목을 구하세요.

> • 지한이는 체육 시간에 넘어진 후로 움직이는 활동을 싫어합니다.
> • 지한이는 미술을 좋아하는 친구와 같은 수학 학원에 다닙니다.
> • 지호의 어머니는 체육을 좋아하는 친구의 어머니와 자매 사이입니다.

	음악	미술	체육
지한			
지호			
예원			

위치 정하기

이웃하는 수가 이웃하는 자리에 오지 않도록 배치할 때,

1. 이웃하는 수가 적은 첫 수와 끝 수를 이웃하는 자리가 많은 중앙에 놓습니다.

2. 첫 수와 끝 수를 놓은 후 첫 수와 끝 수에 가까운 수의 자리부터 정합니다.

3. 수의 자리를 정할 때는 놓을 수 없는 자리를 먼저 생각합니다.

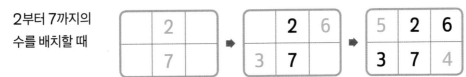

2부터 7까지의
수를 배치할 때

---

1. 가로, 세로, 대각선 방향으로 이웃하는 칸에는 연속된 홀수가 들어가지 않도록 1부터 15까지 연속하는 홀수를 빈칸에 한 번씩 써넣으세요.

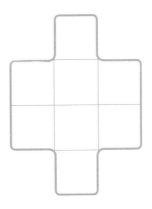

(1) 1부터 연속하는 홀수를 차례로 나열하고 1과 15의 자리를 먼저 정합니다.

(2) 3부터 13까지의 홀수 중 1과 15와 가까운 수의 자리부터 정합니다.

영재 사고력수학 필즈

초등학교 2, 3학년을 위한

입문 하 _ 수와 연산의 활용, 경우의 수와 논리

매쓰러닝

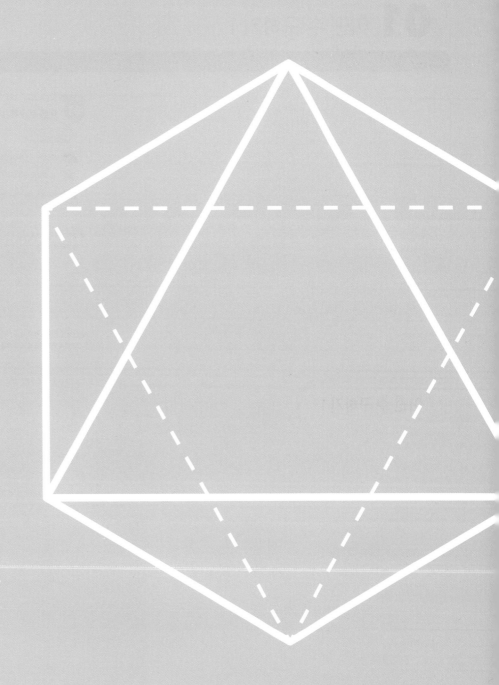

정답 및 해설

01 어떤 수 구하기 1

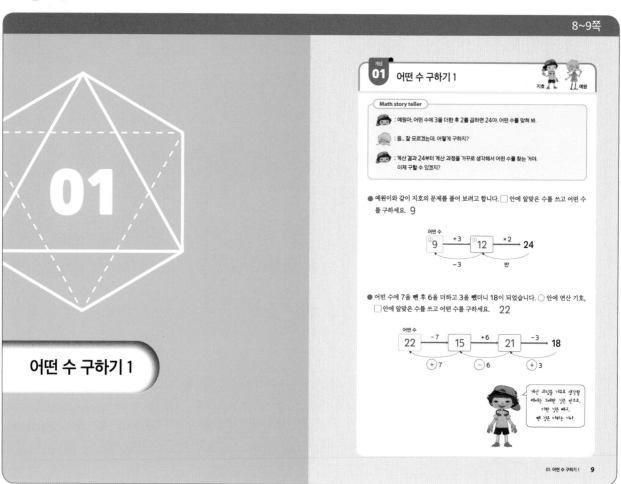

01 대표 문제 1

어떤 수 구하기 I

사탕이 들어 있는 상자가 있습니다. 민서가 상자에서 사탕 7개를 꺼낸 후 다시 사탕 12개를 상자에 넣었더니 상자에 있는 사탕이 30개가 되었습니다. 처음 상자에 있던 사탕은 몇 개입니까? **25개**

확인 1

어느 가게에서 풍선을 팔고 있습니다. 풍선 중 3개는 터지고, 5개는 날아가서 풍선이 4개만 남았습니다. 처음에 있던 풍선은 몇 개였습니까? **12개**

예제 2

버스가 출발하고 첫 번째 정류장에서 승객 몇 명이 탔습니다. 두 번째 정류장에서는 14명이 타고, 7명이 내리고, 세 번째 정류장에서는 15명이 내리고 6명이 탔습니다. 세 번째 정류장을 지나서 승객의 수를 세어 보니 모두 11명이었습니다. 첫 번째 정류장에서 탄 사람은 몇 명입니까? (단, 첫 번째 정류장에 도착하기 전에는 버스에 승객이 없었습니다.) **13명**

어떤 수 구하기

사탕이 들어 있는 상자에 사탕 4개를 넣은 후 사탕 10개를 꺼냈더니 상자 안의 사탕은 14개가 되었습니다. 처음 상자 안 사탕의 개수를 구하세요.

[식] ☐ + 4 - 10 = 14

[계산 과정]

1. 식을 세울 때 구하는 수를 ☐, 줄어드는 것은 뺄셈, 늘어나는 것은 덧셈으로 나타냅니다.
2. 계산 과정을 거꾸로 생각하여 더한 것은 빼고, 뺀 것은 더하여 어떤 수를 구합니다.

10　영재 사고력수학 필즈_입문 하

01. 어떤 수 구하기 I　11

남은 사탕의 개수부터 거꾸로 생각합니다.

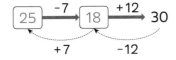

예제 1

남은 풍선의 개수부터 거꾸로 생각합니다.

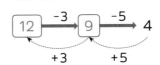

예제 2

마지막 승객의 수부터 거꾸로 생각합니다.

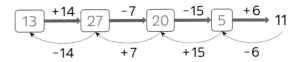

01 대표 문제 **2**

지호가 예원이에게 예원이가 가지고 있던 구슬의 개수만큼 구슬을 주었더니 두 사람이 가진 구슬의 개수가 모두 20개씩이 되었습니다. 지호와 예원이가 처음 가지고 있던 구슬은 각각 몇 개입니까?

	지호	예원
나중	20	20
처음	30	10

지호: 30 개, 예원: 10 개

표 이용하여 어떤 수 구하기

㉠이 ㉡에게 ㉡이 가지고 있던 구슬의 개수만큼 구슬을 주었더니, 두 사람 모두 구슬 24개씩을 가지게 되었습니다. 두 사람이 처음 가지고 있던 구슬의 개수를 각각 구하세요.

	㉠	㉡
나중	24	24
처음		12

➡

	㉠	㉡
나중	24	24
처음	36	12

1. 가지고 있던 구슬의 개수만큼 구슬을 받으면 나중 구슬의 개수는 처음 구슬 개수의 2배입니다.
2. ㉠이 처음 가진 구슬의 개수는 ㉠이 ㉡에게 준 구슬의 개수를 나중 구슬의 개수에 더하여 구합니다.
3. 구슬을 주기 전과 후의 두 사람이 가진 구슬의 총 개수는 같습니다.

예제 1

지한이가 민서와 수아에게 각자 가지고 있는 구슬의 개수만큼 구슬을 주었더니 세 사람이 가진 구슬의 개수가 모두 12개씩이 되었습니다. 처음 지한이가 가지고 있던 구슬은 몇 개입니까?

24개

	지한	민서	수아
나중	12	12	12
처음	24	6	6

예제 2

민서가 지호에게 지호가 가진 쿠키 개수의 반만큼 쿠키를 주었더니 민서는 쿠키 15개, 지호는 쿠키 12개를 가지게 되었습니다. 민서와 지호가 처음 가지고 있던 쿠키의 개수를 각각 구하세요.

	민서	지호
나중	15	12
처음	19	8

민서: 19 개, 지호: 8 개

---

1) 가지고 있던 구슬만큼 받는다는 것은 처음 개수의 2배가 되었다는 뜻입니다.
2) 예원이의 처음 구슬 개수는 20개의 반인 10개입니다.
3) 지호는 예원이에게 10개를 주고 20개가 남았습니다.
4) 따라서 지호의 처음 구슬 개수는 20 + 10 = 30(개)입니다.

예제 1

1) 민서와 수아는 가지고 있던 구슬의 개수만큼 받았으므로 민서, 수아의 처음 구슬 개수는 나중 구슬 개수의 반인 6개씩입니다.
2) 지한이가 민서, 수아에게 6개씩 모두 12개를 주었으므로 지한이의 처음 구슬 개수는 12 + 12 = 24(개)입니다.

예제 2

1) 지호가 가지고 있던 쿠키 개수의 반만큼 받았으므로 나중 쿠키 개수를 셋으로 나눈 것 중 하나인 4개만큼 받은 것입니다.
2) 지호의 나중 쿠키 개수가 12개이므로 처음 쿠키 개수는 12 - 4 = 8(개)입니다.
3) 민서가 지호에게 쿠키 4개를 주었으므로 민서의 처음 쿠키 개수는 15 + 4 = 19(개)입니다.

01 확인 문제

어떤 수 구하기 1

1 어떤 수에 9를 더하고 2배를 한 후 6을 뺐더니 16이 되었습니다. 어떤 수를 구하세요.   2

3 지호는 사과 6개를 가지고 있었습니다. 지호가 예원이에게 사과 2개를 주었더니 예원이가 가진 사과가 지호보다 3개 더 많아졌습니다. 예원이가 처음 가지고 있던 사과는 몇 개입니까?   5개

2 거꾸로 생각하여 사다리타기의 빈칸에 알맞은 수를 써넣으세요.

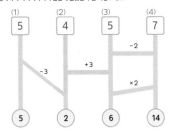

4 민서는 매일 오후 용돈 500원을 받고, 마트에서 300원짜리 간식을 삽니다. 민서가 수요일 오전에 가진 돈이 700원이라고 할 때, 이틀 전 월요일 오전에 민서가 가진 돈을 얼마였습니까?   300원

---

1 계산 결과 16부터 거꾸로 생각합니다.

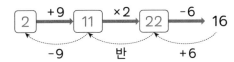

2 사다리를 타고 내려가면서 만나는 계산을 합니다.
   (1) $\square - 3 = 2$ ➡ $\square = 5$
   (2) $(\square + 3) \times 2 = 14$ ➡ $\square = 4$
   (3) $(\square - 2) \times 2 = 6$ ➡ $\square = 5$
   (4) $\square - 2 + 3 - 3 = 5$ ➡ $\square = 7$

3 **1)** 지호는 처음 사과의 개수에서 2개가 줄어서
   $6 - 2 = 4(개)$가 되었습니다.
   2) 예원이는 사과 2개를 받고 지호보다 3개가 많아졌으므로 예원이의 나중 사과 개수는 $4 + 3 = 7(개)$입니다.
   3) 예원이는 사과 2개를 받아 7개가 되었으므로 처음 사과의 개수는 $\square + 2 = 7$, $7 - 2 = 5(개)$입니다.

4 **1)** 매일 오후 500원을 받고 300원을 쓰므로 남는 돈은 200원입니다.
   2)

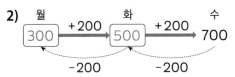

   월요일 오전에 가진 돈은 300원입니다.

01 확인 문제

5 예원이가 지한이에게 사탕 5개를 주었더니 지한이가 가진 사탕이 12개가 되었습니다. 사탕을 주고 난 후 예원이의 사탕 개수가 지한이의 사탕 개수의 2배가 되었다면, 예원이가 처음 가지고 있던 사탕은 몇 개입니까? **29개**

6 사과가 들어 있는 상자 ㉠, ㉡, ㉢이 있습니다. ㉠ 상자에서 사과 5개를 ㉡ 상자로 옮기고, ㉡ 상자에서 사과 3개를 ㉢ 상자로 옮겼더니 세 상자에 있는 사과가 모두 7개씩이 되었습니다. 세 상자에 처음 들어 있던 사과의 개수는 각각 몇 개입니까?

㉠: 12 개, ㉡: 5 개, ㉢: 4 개

7 민서가 지호에게 자신이 가진 쿠키 개수의 반을 주었습니다. 쿠키를 준 후 지호가 가진 쿠키는 12개이고, 민서가 가진 쿠키보다 5개가 많다고 할 때, 처음 민서가 가진 쿠키는 몇 개입니까? **14개**

8 지한이네 학급 도서관에서 오늘 학생들에게 위인전 ㉠권을 빌려주고, ㉡권을 반납받았습니다. 오늘 오후 도서관에 있는 위인전이 10권이라고 할 때, 오전에 도서관에 있던 위인전은 몇 권입니까? (단, ㉠은 ㉡보다 2 큰 수입니다.) **12권**

5 **1)** 사탕을 받은 후 지한이의 사탕 개수는 12개이고, 예원이는 지한이가 가진 사탕의 2배를 가지므로 24개를 가집니다.

2)

	예원	지한
나중	24	12
처음	29	7

6 **1)** ㉡에서 ㉢으로 옮긴 후 사과의 개수, ㉠에서 ㉡으로 옮긴 후 사과의 개수, 처음 개수를 거꾸로 구합니다.

2)

	㉠	㉡	㉢
㉡➡㉢	7	7	7
㉠➡㉡	7	10	4
처음	12	5	4

7 **1)** 민서가 지호에게 처음 쿠키 개수의 반을 주었으므로 민서의 처음 쿠키 개수는 나중 개수의 2배입니다.

2) 지호의 나중 쿠키 개수에서 민서가 준 쿠키 개수를 빼서 지호의 처음 쿠키 개수를 구합니다.

3)

	민서	지호
나중	7	12
처음	14	5

8 **1)** 빌려준 위인전이 반납받은 위인전보다 2권 더 많습니다.

2) 오전 위인전 권수가 오후 위인전 권수가 2권 더 많으므로 오전에 있던 위인전은 10 + 2 = 12(권)입니다.

01 심화 문제　어떤 수 구하기 1

1 귤이 들어 있는 바구니 ㉠, ㉡, ㉢이 있습니다. 다음과 같이 차례대로 귤을 옮긴 후 각 바구니에 담긴 귤이 모두 32개라고 할 때, 표를 완성하고 처음 ㉠ 바구니에 있던 귤의 개수를 구하세요. **44개**

① ㉠ 바구니에서 ㉡ 바구니로 ㉡ 바구니에 있던 귤의 개수만큼 귤을 옮깁니다.
② ㉡ 바구니에서 ㉢ 바구니로 ㉢ 바구니에 있던 귤의 개수만큼 귤을 옮깁니다.
③ ㉢ 바구니에서 ㉠ 바구니로 ㉠ 바구니에 있던 귤의 개수만큼 귤을 옮깁니다.

	㉠	㉡	㉢
귤을 모두 옮긴 후	32	32	32
㉢ 바구니에서 ㉠ 바구니로 옮기기 전	16	32	48
㉡ 바구니에서 ㉢ 바구니로 옮기기 전	16	56	24
㉠ 바구니에서 ㉡ 바구니로 옮기기 전	44	28	24

01 경시 기출 유형　어떤 수 구하기 1

● 알라딘이 요술 램프를 찾기 위해서는 동굴 3개를 지나야 합니다. 각 동굴마다 문지기가 있는데 문지기들은 모두 알라딘에게 다음과 같은 요구를 하였습니다.

동굴을 지날 때마다
내가 가진 만큼의 금화를 줄게.
대신 나에게 금화 8개를 줘야 해.

알라딘이 동굴 3개를 모두 통과하고 알라딘에게는 금화가 하나도 남지 않게 되었습니다. 다음 표를 완성하고 처음 알라딘이 갖고 있던 금화의 개수를 구하세요. **7개**

		금화의 개수
모든 동굴 통과 후		0
3번째 동굴	금화 8개 주기 전	8
	금화 받기 전	4
2번째 동굴	금화 8개 주기 전	12
	금화 받기 전	6
1번째 동굴	금화 8개 주기 전	14
	금화 받기 전	7

1 **1)** 귤을 옮기기 전 개수만큼 귤을 옮기면 옮기기 전 개수는 옮긴 후 개수의 반입니다.

2) ㉠ 바구니에서 ㉡ 바구니으로 옮길 때 ㉢ 바구니에 있는 귤의 개수는 변하지 않습니다. 즉 귤을 옮기지 않은 바구니의 귤의 개수는 그대로입니다.

● **1)** 금화 8개를 주기 전 금화의 개수는 표의 바로 윗칸 금화 개수보다 8개가 많습니다.

2) 금화를 받기 전 금화의 개수는 표의 바로 윗칸 금화 개수의 반입니다.

02 연속수의 합

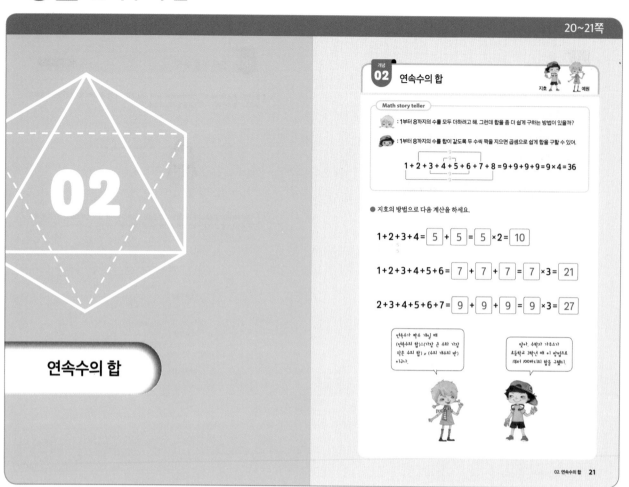

개념 02 연속수의 합

지호 예원

Math story teller

: 1부터 8까지의 수를 모두 더하려고 해. 그런데 합을 좀 더 쉽게 구하는 방법이 있을까?

: 1부터 8까지의 수를 합이 같도록 두 수씩 짝을 지으면 곱셈으로 쉽게 합을 구할 수 있어.

$$1 + 2 + 3 + 4 + 5 + 6 + 7 + 8 = 9 + 9 + 9 + 9 = 9 \times 4 = 36$$

● 지호의 방법으로 다음 계산을 하세요.

$$1+2+3+4 = \boxed{5} + \boxed{5} = \boxed{5} \times 2 = \boxed{10}$$

$$1+2+3+4+5+6 = \boxed{7} + \boxed{7} + \boxed{7} = \boxed{7} \times 3 = \boxed{21}$$

$$2+3+4+5+6+7 = \boxed{9} + \boxed{9} + \boxed{9} = \boxed{9} \times 3 = \boxed{27}$$

연속수가 짝수 개일 때
(연속수의 합)=(가장 큰 수와 가장
작은 수의 합) × (수의 개수의 반)
이구나.

맞아. 수학자 가우스가
초등학교 3학년 때 이 방법으로
1부터 100까지 합을 구했지.

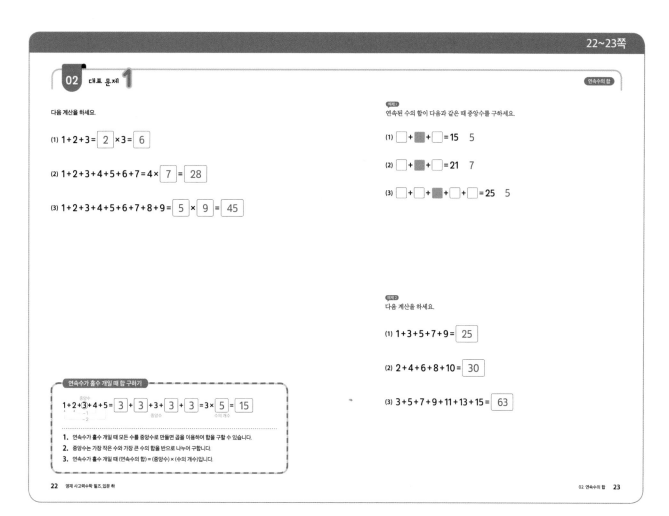

02 대표 문제 1

연속수의 합

다음 계산을 하세요.

(1) $1+2+3=\boxed{2}\times3=\boxed{6}$

(2) $1+2+3+4+5+6+7=4\times\boxed{7}=\boxed{28}$

(3) $1+2+3+4+5+6+7+8+9=\boxed{5}\times\boxed{9}=\boxed{45}$

예제 1
연속된 수의 합이 다음과 같을 때 중앙수를 구하세요.

(1) $\boxed{}+\blacksquare+\boxed{}=15$　5

(2) $\boxed{}+\blacksquare+\boxed{}=21$　7

(3) $\boxed{}+\boxed{}+\blacksquare+\boxed{}+\boxed{}=25$　5

예제 2
다음 계산을 하세요.

(1) $1+3+5+7+9=\boxed{25}$

(2) $2+4+6+8+10=\boxed{30}$

(3) $3+5+7+9+11+13+15=\boxed{63}$

연속수가 홀수 개일 때 합 구하기

중앙수
$1+2+\underset{-1}{3}+4+5=\boxed{3}+\boxed{3}+3+\boxed{3}+\boxed{3}=3\times\boxed{5}=\boxed{15}$
　　　　-2　　　　　　　　중앙수　　　수의 개수

1. 연속수가 홀수 개일 때 모든 수를 중앙수로 만들면 곱을 이용하여 합을 구할 수 있습니다.
2. 중앙수는 가장 작은 수와 가장 큰 수의 합을 반으로 나누어 구합니다.
3. 연속수가 홀수 개일 때 (연속수의 합) = (중앙수) × (수의 개수)입니다.

연속수의 개수가 홀수 개일 때
(연속수의 합) = (중앙수) × (수의 개수)입니다.

예제 1

연속수가 3개일 때, 연속수의 합은 (중앙수) × 3입니다.
연속수가 5개일 때, 연속수의 합은 (중앙수) × 5입니다.
(1) (중앙수) × 3 = 15, (중앙수) = 5
(2) (중앙수) × 3 = 21, (중앙수) = 7
(3) (중앙수) × 5 = 25, (중앙수) = 5

예제 2

(1) $1+3+5+7+9=5\times5=25$
(2) $2+4+6+8+10=6\times5=30$
(3) $3+5+7+9+11+13+15=9\times7=63$

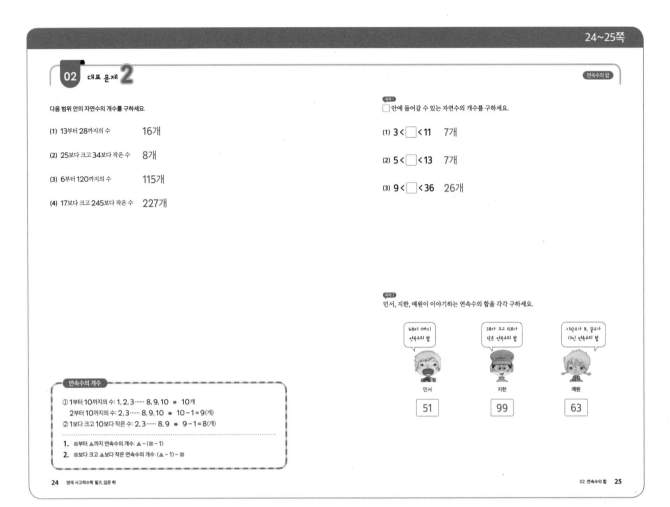

(1) 13부터 28까지의 수: 28 – 12 = 16(개)
(2) 25보다 크고 34보다 작은 수: 33 – 25 = 8(개)
(3) 6부터 120까지의 수: 120 – 5 = 115(개)
(4) 17보다 크고 245보다 작은 수: 244 – 17 = 227(개)

예제 1

(1) 3 < □ < 11
3보다 크고 11보다 작은 수: 10 – 3 = 7(개)
(2) 5 < □ < 13
5보다 크고 13보다 작은 수: 12 – 5 = 7(개)
(3) 9 < □ < 36
9보다 크고 36보다 작은 수: 35 – 9 = 26(개)

예제 2

1) 민서: 6부터 11까지 연속수의 합
→ 수의 개수 6개, 연속수가 짝수 개
6 + 11 = 17, 17 + 17 + 17 = 51
2) 지한: 3보다 크고 15보다 작은 연속수의 합
→ 수의 개수 11개, 연속수가 홀수 개
4 + 14 = 18, 중앙수는 18의 반 9, 9 × 11 = 99
3) 예원: 시작수가 8, 끝수가 13인 연속수의 합
→ 수의 개수 6개, 연속수가 짝수 개
8 + 13 = 21, 21 + 21 + 21 = 63

02 확인 문제

1 수 카드가 다음과 같이 나열되어 있습니다. 나열한 수들의 합을 구하세요.   81

| 1 | 3 | 5 | 7 | 9 | 11 | 13 | 15 | 17 |

2 상자 안에 조건에 맞는 연속수 카드가 들어 있습니다. 예원이와 지호가 상자에서 각각 중앙수가 적힌 카드를 꺼내려고 합니다. 예원이와 지호가 꺼내는 카드에 적힌 수를 구하세요.

예원이의 상자
카드 9장
합은 63

7

지호의 상자
카드 5장
합은 40

8

3 보기와 같은 방법으로 주어진 수를 1씩 차이나는 네 수의 합으로 나타내세요.

보기
$18 = 9 + 9 = 3 + 4 + 5 + 6$

(1) $14 = \boxed{2} + \boxed{3} + \boxed{4} + \boxed{5}$

(2) $22 = \boxed{4} + \boxed{5} + \boxed{6} + \boxed{7}$

4 어느 동화책에 3쪽마다 그림이 나옵니다. 첫 그림이 3쪽에 나왔다고 할 때, 첫 번째 그림부터 다섯 번째 그림까지 그림이 나온 쪽수의 합을 구하세요.   45

---

1 **1)** 수가 홀수 개일 때,
(수의 합) = (중앙수) × (수의 개수)입니다.
  2) $9 × 9 = 81$

2 홀수 개인 (연속수의 합) = (중앙수) × (수의 개수)
  1) 예원: $63 = $ (중앙수) × 9, (중앙수) = 7
  2) 지호: $40 = $ (중앙수) × 5, (중앙수) = 8

3 **(1)** $14 = 7 + 7 = 2 + 3 + 4 + 5$
  (2) $22 = 11 + 11 = 4 + 5 + 6 + 7$

4 **1)** 그림이 나오는 쪽수는 3, 6, 9, 12, 15입니다.
  2) $3 + 6 + 9 + 12 + 15 = 9 × 5 = 45$

02 확인 문제

5 어느 해 1월에 일요일부터 토요일까지의 날짜의 합이 63이라고 합니다. 날짜의 합에 맞게 달력을 완성하세요.

1월

일	월	화	수	목	금	토
			1	2	3	4	5
6	7	8	9	10	11	12
13	14	15	16	17	18	19
20	21	22	23	24	25	26
27	28	29	30	31		

6 지한이는 사탕 21개를 상자 ㉠, ㉡, ㉢에 나누어 담으려고 합니다. 상자 ㉠, ㉡, ㉢에 있는 사탕 개수의 차와 상자 ㉡, ㉢에 있는 사탕 개수의 차가 서로 같다고 할 때, 상자 ㉢에 담을 수 있는 가장 많은 사탕은 몇 개입니까? (단, (상자 ㉠의 사탕 개수) < (상자 ㉡의 사탕 개수) < (상자 ㉢의 사탕 개수)이고, 각 상자에 사탕 1개 이상은 반드시 넣어야 합니다.)   **13개**

㉠   ㉡   ㉢

7 친구 5명이 구슬 50개를 가지고 게임을 합니다. 첫 번째 게임은 다섯 명이 구슬을 1개씩 차이 나게 나누어 가졌고, 두 번째 게임은 다섯 명이 구슬을 2개씩 차이 나게 나누어 가졌습니다. 나누어 가진 구슬의 개수를 빈칸에 쓰세요. (단, ㉠ < ㉡ < ㉢ < ㉣ < ㉤입니다.)

	㉠	㉡	㉢	㉣	㉤
첫 번째	8 개	9 개	10 개	11 개	12 개
두 번째	6 개	8 개	10 개	12 개	14 개

8 35를 연속수의 합으로 나타내세요. 세 가지 방법이 있습니다.

[방법 1] 35 = 17 + 18

[방법 2] 35 = 5 + 6 + 7 + 8 + 9

[방법 3] 35 = 2 + 3 + 4 + 5 + 6 + 7 + 8

5 **1)** 홀수 개인 연속수의 합은 (중앙수) × (수의 개수)입니다.

2) (중앙수) × 7 = 63이므로 중앙수는 9입니다.

3) 일주일의 중앙에 있는 수요일이 9일이 되도록 달력을 완성합니다.

6 **1)** 세 수의 합이 21입니다.

2) (중앙수) × (수의 개수) = (중앙수) × 3 = 21이므로 중앙수는 7입니다.

3) 중앙수가 7인 세 수 중 큰 수가 가장 크게 되는 경우는 1, 7, 13입니다.

4) 상자 ㉢에 담을 수 있는 가장 많은 사탕의 개수는 13개입니다.

7 **1)** (중앙수) × (수의 개수) = (중앙수) × 5 = 50이므로 중앙수는 10입니다.

2) 1씩 차이 나도록 구슬을 나누면 8, 9, 10, 11, 12입니다.

3) 2씩 차이 나도록 구슬을 나누면 6, 8, 10, 12, 14입니다.

8 **1)** 35를 연속된 두 수(17, 18)의 합으로 나타낼 수 있습니다.

2) 35 = 5 × 7이므로 중앙수가 5인 식과 7인 식으로 나타낼 수 있습니다.

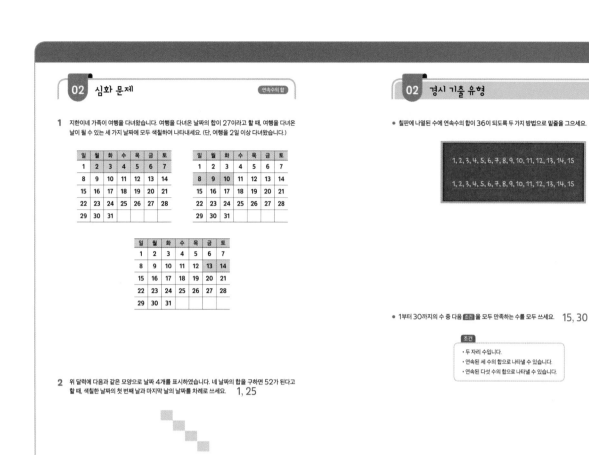

1

1) 27을 연속된 두 수(13, 14)의 합으로 나타낼 수 있습니다.

2) 27 = 3 × 9이므로 중앙수가 9인 식으로 나타낼 수 있습니다.

3) 27 = 3 × 9이므로 두 수의 합이 9, 수의 개수가 6개인 식으로 나타낼 수 있습니다.

4) 식에 맞게 달력에 색칠합니다.

2

1) 색칠한 칸의 날짜는 차가 모두 같은 수입니다.

2) 첫 번째 날과 마지막 날의 날짜의 합이 26이 되는 날은 1일과 25일입니다.

● **1)** 36 = 3 × 12이므로 중앙수가 12인 식으로 나타낼 수 있습니다. (11 + 12 + 13 = 36)

2) 36 = 4 × 9이므로 두 수의 합이 9, 수의 개수가 8개인 식으로 나타낼 수 있습니다.
(1 + 2 + 3 + 4 + 5 + 6 + 7 + 8 = 36)

● **1)** 연속된 세 수의 합으로 나타낼 수 있는 두 자리 수는 (중앙수) × 3으로 나타낼 수 있는 수입니다.
12, 15, 18, 21, 24, 27, 30

2) 위의 수 중 (중앙수) × 5로 나타낼 수 있는 수는 15, 30입니다.

03 수 만들기

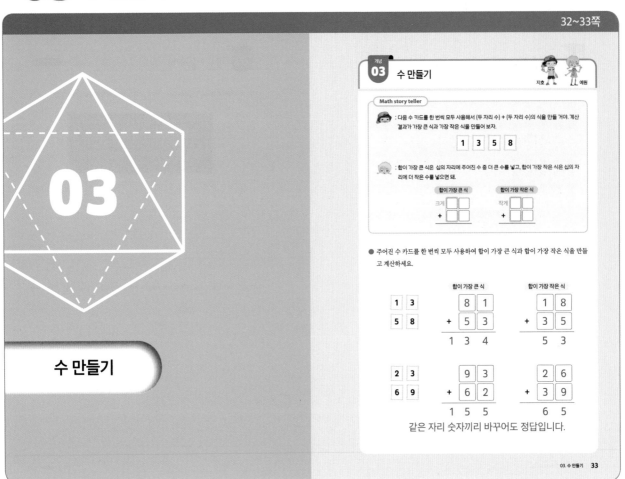

03 대표 문제 **1**

수 만들기

수 카드를 한 번씩 모두 사용하여 차가 가장 큰 식과 차가 가장 작은 식을 만들고 계산하세요.

1 3 4 6

차가 가장 큰 식

	6	4
−	1	3
	5	1

차가 가장 작은 식

	4	1
−	3	6
		5

가장 큰 차, 가장 작은 차

차가 가장 큰 식

| | | | 큰 두 자리 수 |
| − | | | 작은 두 자리 수 |

차가 가장 작은 식

가까운			작은 수
두 수			
−			큰 수

1. 차가 가장 큰 식은 주어진 수로 만들 수 있는 (가장 큰 두 자리 수) − (가장 작은 두 자리 수)입니다.
2. 차가 가장 작은 식은 십의 자리에 차가 가장 작은 두 수를 넣고, 남은 수 중 작은 수는 빼어지는 수의 일의 자리, 큰 수는 빼는 수의 일의 자리에 넣습니다.

34 영재 사고력수학 필즈_입문 하

예제 1

주어진 수 카드에서 4장을 뽑아 한 번씩 사용하여 차가 가장 큰 식과 가장 작은 식을 만들고 계산하세요.

1 2 4 5 9

차가 가장 큰 식

	9	5
−	1	2
	8	3

차가 가장 작은 식

	5	1
−	4	9
		2

예제 2

☐ 안에 1부터 8까지의 수를 한 번씩 넣어 식을 만들 때 나올 수 있는 가장 큰 계산 결과와 가장 작은 계산 결과를 차례로 쓰세요. (단, 모든 수를 사용하지 않아도 됩니다.)

(1) ☐☐ + ☐ − ☐   92, 7

(2) ☐☐ − ☐☐ + ☐   81, 5

03. 수 만들기 35

예제 1

차가 가장 큰 식

가장 큰 두 자리 수 | 9 | 5 |
− | 1 | 2 | 가장 작은 두 자리 수
| 8 | 3 |

차가 가장 작은 식

가까운 두 수 | 5 | 1 | 남은 수 중 작은 수
− | 4 | 9 | 남은 수 중 큰 수
| | 2 |

예제 2

(1) 8 7 + 6 − 1 = 92
    1 2 + 3 − 8 = 7

계산 결과가 가장 큰 식은 앞의 두 자리 수와 더하는 한 자리 수는 크게, 빼는 한 자리 수는 작게 만듭니다.
계산 결과가 가장 작은 식은 앞 두 자리 수와 더하는 한 자리 수는 작게, 빼는 한 자리 수는 크게 만듭니다.

(2) 8 7 − 1 2 + 6 = 81
    4 1 − 3 8 + 2 = 5

계산 결과가 가장 큰 식은 앞 두 자리 수에 만들 수 있는 가장 큰 두 자리 수, 빼는 두 자리 수에 만들 수 있는 가장 작은 두 자리 수, 더하는 한 자리 수에 남은 수 중 가장 큰 수를 넣어서 만듭니다.
계산 결과가 가장 작은 식은 (두 자리 수) − (두 자리 수)에 차가 가장 작은 식을 만들고, 남은 수 중 가장 작은 수를 더하는 한 자리 수에 넣어서 만듭니다.

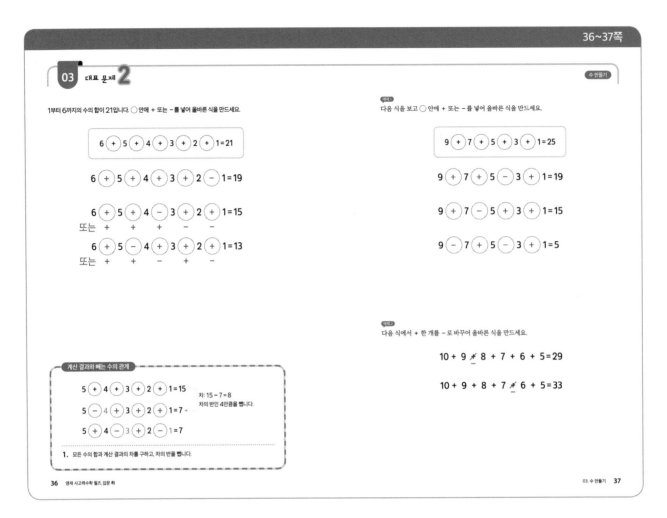

○ 안에 모두 + 를 넣은 식의 계산 결과가 21입니다.
21과 계산 결과의 차를 이용하여 연산 기호를 넣습니다.
1) 21 − 19 = 2: 2의 반인 1을 빼는 식을 만듭니다. (− 1)
2) 21 − 15 = 6: 6의 반인 3만큼 빼는 식을 만듭니다.
(− 3, − 1과 − 2)
3) 21 − 13 = 8: 8의 반인 4만큼 빼는 식을 만듭니다.
(− 4, − 1과 − 3)

예제 1

25와 계산 결과의 차를 이용하여 연산 기호를 넣습니다.
1) 25 − 19 = 6: 6의 반인 3을 빼는 식을 만듭니다. (− 3)
2) 25 − 15 = 10: 10의 반인 5를 빼는 식을 만듭니다. (− 5)
3) 25 − 5 = 20: 20의 반인 10만큼 빼는 식을 만듭니다.
(− 7과 − 3)

예제 2

1) 10 + 9 + 8 + 7 + 6 + 5 = 45
2) 45 − 29 = 16: 16의 반인 8을 빼는 식을 만듭니다.
10 + 9 − 8 + 7 + 6 + 5 = 29
3) 45 − 33 = 12: 12의 반인 6을 빼는 식을 만듭니다.
10 + 9 + 8 + 7 − 6 + 5 = 33

03 확인 문제

1 주어진 수를 한 번씩 모두 사용하여 합이 가장 큰 식과 합이 가장 작은 식을 만들고 계산하세요.

합이 가장 큰 식

합이 가장 작은 식

	2	5
+	4	7
	7	2

같은 자리 숫자끼리 바꾸어도 정답입니다.

2 예원이는 계산기를 사용하여 차가 가장 큰 식과 가장 작은 식을 계산하려고 하였습니다. 노란색 수 버튼 중 4개를 사용한다고 할 때, 예원이가 계산한 식을 쓰고 계산 결과를 구하세요.

차가 가장 큰 식

$$9\ 8 - 1\ 3 = 85$$

차가 가장 작은 식

$$8\ 1 - 7\ 9 = 2$$

3 다음 ◯ 안에 + 또는 −를 넣어 만들 수 있는 식의 계산 결과를 모두 쓰세요.

0, 2, 6, 8, 10, 14, 16

4 주어진 수 중 예원이는 두 수를 부르고 지호는 네 수를 불렀습니다. 두 사람이 부른 수의 합이 같을 때, 예원이가 부른 수를 모두 쓰세요.   7, 19

19	3	8	5	7	10

내가 예기한 수의 합은
모든 수의 합의 반이지.

예원

2 1) 차가 가장 큰 식은 수 버튼으로 만들 수 있는 (가장 큰 두 자리 수) − (가장 작은 두 자리 수)입니다.

2) 차가 가장 작은 식은 십의 자리에 놓는 두 수는 차가 가장 작도록, 남은 수 중 가장 작은 수를 빼어지는 수의 일의 자리, 가장 큰 수를 빼는 수 중 일의 자리에 놓아서 만듭니다.

3
$$8 + 1 + 4 + 3 = 16$$
$$8 - 1 + 4 + 3 = 14$$
$$8 + 1 - 4 + 3 = 8$$
$$8 + 1 + 4 - 3 = 10$$
$$8 - 1 - 4 + 3 = 6$$
$$8 + 1 - 4 - 3 = 2$$
$$8 - 1 + 4 - 3 = 8$$
$$8 - 1 - 4 - 3 = 0$$

4 1) 예원이가 부른 두 수와 지호가 부른 네 수의 합이 서로 같으므로 예원이와 지호가 부른 수의 합은 모든 수의 합의 반입니다.

2) $19 + 3 + 8 + 5 + 7 + 10 = 52$이므로 예원이가 부른 두 수의 합은 52의 반인 26입니다.

3) $19 + 7 = 26$이므로 예원이가 부른 두 수는 19와 7입니다.

03 확인 문제

5 주머니 안의 수와 연산 기호를 한 번씩 모두 사용하여 올바른 식을 만드세요.

$$8 \times 5 - 2 + 1 = 39$$

또는 $5 \times 8 + 1 - 2$

7 [보기]와 같은 방법으로 수 사이에 + 또는 −를 넣어 올바른 식을 만드세요. (단, 모든 수 사이에 연산 기호가 들어갈 필요는 없습니다.)

[보기]

$$1 + 2 + 3 \ 4 + 5 = 42$$

(1) $1 \ 2 - 3 + 4 = 13$　　　(2) $1 + 2 \ 3 + 4 \ 5 = 69$

6 주어진 수 카드를 한 번씩 모두 사용하여 차가 가장 큰 식과 차가 가장 작은 식을 만들고 계산하세요.

| 1 | 6 | 3 | 7 | 5 | 9 |

차가 가장 큰 식

```
    9 7 6
−   1 3 5
────────
    8 4 1
```

차가 가장 작은 식

```
    6 1 3
−   5 9 7
────────
      1 6
```

8 다음 식에서 + 한 개를 빼고 계산하면 계산 결과가 59가 됩니다. 빼고 계산한 +에 ✕표 하세요.

$$3 \times 7 + 9 + 5 + 2 + 6 = 59$$

---

5 1) 40 − 1 = 39입니다. 식 앞부분을 40, 식의 뒷부분을 − 1이 되도록 만듭니다.

　2) 곱하는 두 수, 더하는 수와 빼는 수의 순서가 바뀌어도 정답입니다.

7 (1) 12 + 1 = 13입니다. 식 뒷부분의 3, 4를 이용하여 +1을 만듭니다.

　(2) 20 + 40 = 60입니다. 2와 4가 십의 자리 수가 되도록 식을 만듭니다.

8 1) 3 + 7 + 9 + 5 + 2 + 6 = 32

　2) 7 + 9 + 5 + 2 + 6 = 29입니다. 일의 자리 수가 9가 되도록 3 뒤의 +를 지워 3을 십의 자리 수가 되도록 만듭니다.

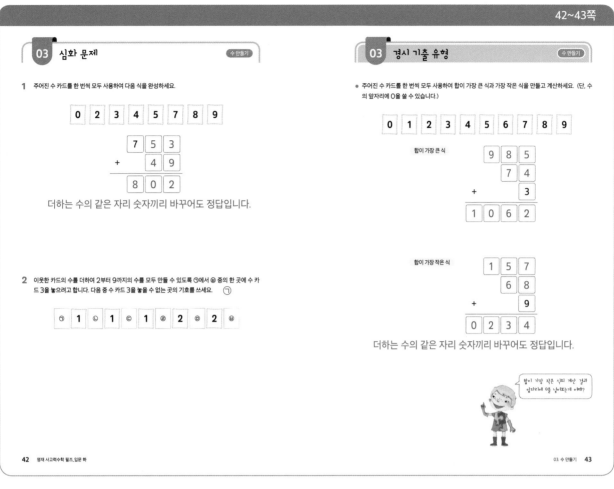

03 심화 문제 수 만들기

1 주어진 수 카드를 한 번씩 모두 사용하여 다음 식을 완성하세요.

0 2 3 4 5 7 8 9

```
    7 5 3
+     4 9
    8 0 2
```

더하는 수의 같은 자리 숫자끼리 바꾸어도 정답입니다.

2 이웃한 카드의 수를 더하여 2부터 9까지의 수를 모두 만들 수 있도록 ⊙에서 ⊎ 중의 한 곳에 수 카드 3을 놓으려고 합니다. 다음 중 수 카드 3을 놓을 수 없는 곳의 기호를 쓰세요. (⊙)

⊙ 1 ⓒ 1 ⓒ 1 ⓔ 2 ⓜ 2 ⊎

03 경시 기출 유형 수 만들기

● 주어진 수 카드를 한 번씩 모두 사용하여 합이 가장 큰 식과 가장 작은 식을 만들고 계산하세요. (단, 수의 앞자리에 0을 쓸 수 있습니다.)

0 1 2 3 4 5 6 7 8 9

합이 가장 큰 식
```
    9 8 5
      7 4
+       3
  1 0 6 2
```

합이 가장 작은 식
```
    1 5 7
      6 8
+       9
  0 2 3 4
```

더하는 수의 같은 자리 숫자끼리 바꾸어도 정답입니다.

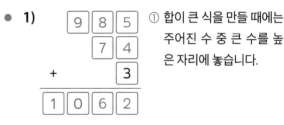

합이 가장 작은 식의 계산 결과
일자리에 0을 넣어보는게 어때?

---

1 1)
```
    7 □ □
+   □ □ □
    8 □ □
```
백의 자리에 올 수 있는 수는 8입니다.

2)
```
    7 5 □
+     4 □
    8 0 □
```
십의 자리 계산에서 받아올림이 있어야 하므로 십의 자리에 올 수 있는 수는 5, 4, 0입니다. 2, 3, 9를 십의 자리에 넣으면 일의 자리 계산이 맞지 않습니다.

3)
```
    7 5 3
+     4 9
    8 0 2
```
남은 수 2, 3, 9를 받아올림이 되도록 일의 자리에 놓습니다.

2 1) ⊙에 3을 놓으면 다음과 같습니다.

3 1 1 1 2 2

2) 2 = 1 + 1, 3 = 1 + 2, 4 = 2 + 2, 5 = 3 + 1 + 1, 6 = 3 + 1 + 1 + 1, 7 = 1 + 1 + 1 + 2 + 2, 8 = 3 + 1 + 1 + 1 + 2

3) 이웃한 수의 합이 9인 경우는 만들 수 없습니다.

● 1)
```
    9 8 5
      7 4
+       3
  1 0 6 2
```
① 합이 큰 식을 만들 때에는 주어진 수 중 큰 수를 높은 자리에 놓습니다.

② 계산 결과의 십의 자리에 5 또는 6을 놓습니다. 받아올림을 생각하여 일의 자리에 남은 수를 놓습니다.

2)
```
    1 5 7
      6 8
+       9
  0 2 3 4
```
① 합이 작은 식은 계산 결과의 천의 자리에 0, 작은 수 1, 2를 백의 자리에 놓습니다.

② 받아올림을 생각하여 십의 자리, 일의 자리에 남은 수를 놓습니다.

04 어떤 수 구하기 2

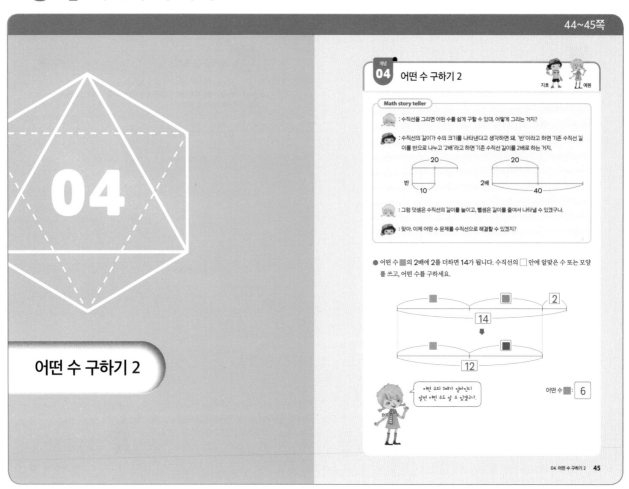

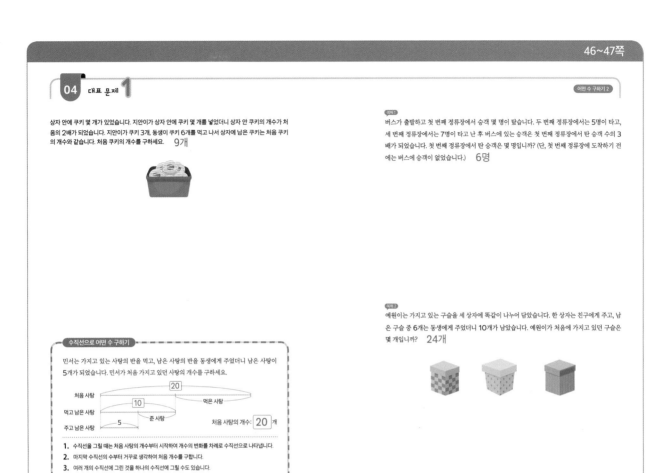

---

1) 쿠키의 개수를 수직선으로 나타냅니다.

2) 넣은 쿠키의 개수가 처음 쿠키 개수가 같고, 먹고 남은 쿠키의 개수가 처음 쿠키 개수와 같습니다.
넣은 쿠키의 개수가 3 + 6 = 9(개)이므로 처음 쿠키는 9개입니다.

예제 1

1) 첫 번째 정류장에서 탄 승객의 수를 ■로 놓고 수직선을 그립니다.

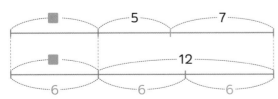

2) 늘어난 승객 12명이 첫 번째 정류장에서 탄 승객 수의 2배이므로 첫 번째 정류장에서 탄 승객은 12명의 반인 6명입니다.

예제 2

1) 예원이 가지고 있던 구슬의 개수를 ■로 놓고 수직선을 그립니다.

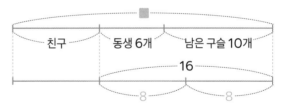

2) 상자 2개에 있는 구슬은 동생에게 준 구슬과 남은 구슬의 개수의 합이므로 16개입니다. 따라서 처음 예원이가 가지고 있던 구슬은 모두 8 × 3 = 24(개)입니다.

04 대표 문제 **2**

지호가 가진 딸기맛 젤리와 포도맛 젤리는 모두 11개입니다. 딸기맛 젤리가 포도맛 젤리보다 5개 더 많다고 할 때, 딸기맛 젤리와 포도맛 젤리의 개수를 각각 구하세요.

딸기맛 젤리: 8 개, 포도맛 젤리: 3 개

합과 차를 알 때 두 수 구하기

㉠+㉡=15, ㉠-㉡=3

㉠+㉡

㉠-㉡

두 수직선 더하기

15 + 3 = 18

㉠: 9 , ㉡: 6

1. 두 수직선을 더한 것은 두 수의 합과 차를 더한 것과 같습니다.
2. ㉠과 ㉡의 합과 차를 더한 것을 반으로 나눈 것은 두 수 중 큰 수 ㉠과 같습니다.

예제 1

필통 안에 빨간색 색연필과 파란색 색연필이 있습니다. 색연필은 모두 28자루이고, 빨간색 색연필이 파란색 색연필보다 4자루 더 많다고 할 때, 빨간색 색연필은 몇 자루입니까? **16자루**

예제 2

지한이가 강아지를 안고 무게를 재면 37 kg입니다. 지한이가 강아지보다 27 kg 더 무겁다고 할 때, 강아지의 무게는 몇 kg입니까? **5 kg**

---

1) (딸기맛 젤리) + (포도맛 젤리) = 11
(딸기맛 젤리) − (포도맛 젤리) = 5

2) 합과 차를 더한 것의 반이 개수가 많은 딸기맛 젤리의 개수입니다.
11 + 5 = 16, 16의 반은 8 ➡ 딸기맛 젤리 8개

3) (포도맛 젤리) = 11 − 8 = 3(개)

예제 1

1) (빨간색 색연필) + (파란색 색연필) = 28
(빨간색 색연필) − (파란색 색연필) = 4

2) 합과 차를 더한 것의 반이 개수가 많은 빨간색 색연필의 자루입니다.
28 + 4 = 32, 32의 반은 16 ➡ 빨간색 색연필 16자루

예제 2

1) (지한이의 몸무게) + (강아지의 무게) = 37
(지한이의 몸무게) − (강아지의 무게) = 27

2) 합과 차를 더한 것의 반이 더 무거운 지한이의 몸무게입니다.
37 + 27 = 64, 64의 반은 32 ➡ 지한이는 32 kg

3) (강아지의 무게) = 37 − 32 = 5(kg)

04 확인 문제

어떤 수 구하기 2

1 민서가 가지고 있는 돈의 반을 쓴 후 500원을 더 썼더니 1200원이 남았습니다. 민서가 처음 가지고 있던 돈은 얼마입니까? **3400원**

2 ♥, ●가 서로 다른 수를 나타냅니다. 다음을 보고 각 모양이 나타내는 수를 구하세요.

> ♥ + ● = 23
> ♥ - ● = 9

♥: 16 , ●: 7

3 귤 25개가 들어 있는 바구니에 어머니가 귤을 몇 개 더 넣었습니다. 예원이가 귤 18개를 먹은 후 남은 귤의 개수가 어머니가 귤을 바구니에 넣은 후의 개수의 반이 되었다고 할 때, 어머니가 바구니에 넣은 개수는 몇 개입니까? **11개**

4 지호네 반 학생은 모두 26명입니다. 이 반의 남학생 수가 여학생보다 2명 더 많다고 할 때, 여학생은 몇 명입니까? **12명**

---

1 1) 민서가 처음 가지고 있던 돈을 ■로 놓고 수직선을 그립니다.

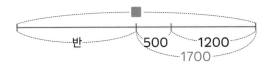

2) 가지고 있던 돈의 반이 1700원이므로 처음 가지고 있던 돈은 1700 + 1700 = 3400(원)입니다.

2 1) ♥ + ● = 23, ♥ - ● = 9
2) 합과 차를 더한 것의 반이 ♥입니다.
   23 + 9 = 32, 32의 반은 16 ➡ ♥ = 16
3) ● = 23 - 16 = 7

3 1) 어머니가 넣은 귤의 개수를 ■로 놓고 수직선을 그립니다.

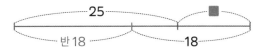

2) 줄어든 귤이 18개이므로 어머니가 넣은 귤의 개수는 18 + 18 - 25 = 11(개)입니다.

4 1) (남학생) + (여학생) = 26
   (남학생) - (여학생) = 2
2) 합과 차를 더한 것의 반이 더 많은 남학생 수입니다.
   26 + 2 = 28, 28의 반은 14 ➡ 남학생 14명
3) (여학생) = 26 - 14 = 12(명)

04 확인 문제

어떤 수 구하기 2

5 어느 동물원에 있는 사슴과 노루가 모두 18마리입니다. 이 동물원에 사슴 두 마리를 더 들여오면 사슴과 노루의 수가 서로 같아집니다. 노루는 모두 몇 마리입니까?　10마리

6 지호가 가진 구슬 몇 개를 주머니 4개에 똑같이 나누어 담은 후 주머니 1개를 민서에게 주었습니다. 지호는 남은 구슬을 다시 주머니 2개에 나누어 담은 후 주머니 1개를 예원이에게 주었습니다. 지호에게 남은 구슬이 15개라고 할 때, 민서가 받은 구슬의 개수를 구하세요.　10개

7 지한이는 가지고 있는 딱지 개수의 반보다 2개 더 많은 딱지를 예원이에게 주고, 남은 딱지 개수의 반보다 2개 더 많은 딱지는 민서에게 주었습니다. 남은 딱지가 3개일 때, 처음 지한이가 가지고 있던 딱지는 몇 개입니까?　24개

8 떡을 파는 할머니가 고개를 지날 때마다 호랑이에게 가지고 있는 떡의 반보다 1개 더 많은 떡을 주기로 하였습니다. 할머니가 호랑이를 3번 만나고 난 후 남은 떡이 2개라고 할 때, 호랑이를 만나기 전 할머니가 가지고 있는 떡은 몇 개입니까?　30개

---

5 **1)** 사슴 2마리를 더 들여오면 사슴과 노루의 수가 같아지므로 사슴과 노루는 2마리 차이난 것입니다.

2) (노루) + (사슴) = 18
(노루) − (사슴) = 2

3) 합과 차를 더한 것의 반이 더 많은 노루의 수입니다.
18 + 2 = 20, 20의 반은 10 ➡ 노루 10마리

6 **1)** 지호가 가진 구슬의 개수를 ■로 놓고 수직선을 그립니다.

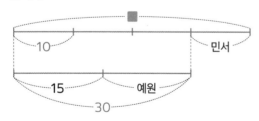

2) 남은 구슬 개수의 반이 15개이므로 민서에게 주고 남은 구슬은 15 + 15 = 30(개)입니다.

3) 주머니 3개에 있는 구슬이 30개이므로 민서가 받은 구슬은 주머니 1개에 있는 구슬 10개입니다.

7 **1)** 지한이가 가진 딱지의 개수를 ■로 놓고 수직선을 그립니다.

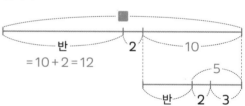

2) 예원이에게 주고 남은 딱지가 10개이므로 전체 딱지의 반은 10 + 2 = 12(개)입니다.

3) 처음 딱지는 12 + 12 = 24(개)입니다.

8 **1)** 처음 떡의 개수를 ■로 놓고 수직선을 그립니다.

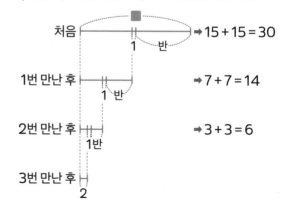

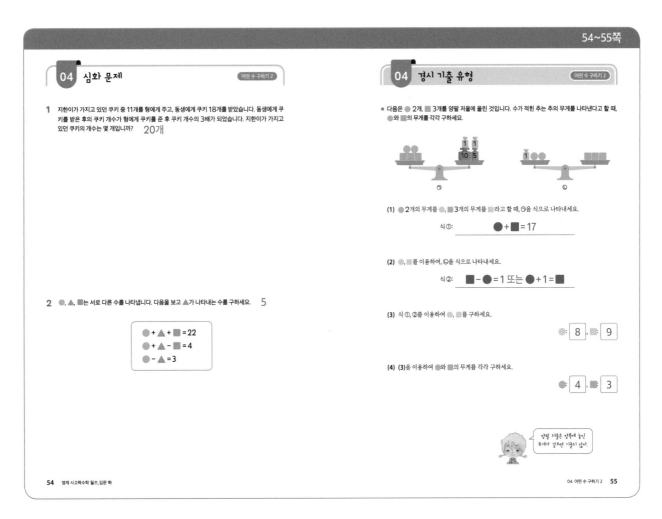

04 심화 문제 　　　　　　　어떤 수 구하기 2

1 지한이가 가지고 있던 쿠키 중 11개를 형에게 주고, 동생에게 쿠키 18개를 받았습니다. 동생에게 쿠키를 받은 후의 쿠키 개수가 형에게 쿠키를 준 후 쿠키 개수의 3배가 되었습니다. 지한이가 가지고 있던 쿠키의 개수는 몇 개입니까?　　20개

2 ●, ▲, ■는 서로 다른 수를 나타냅니다. 다음을 보고 ▲가 나타내는 수를 구하세요.　　5

> ● + ▲ + ■ = 22
> ● + ▲ − ■ = 4
> ● − ▲ = 3

04 경시 기출 유형 　　　　　　　어떤 수 구하기 2

● 다음은 ● 2개, ■ 3개를 양팔 저울에 올린 것입니다. 수가 적힌 추는 추의 무게를 나타낸다고 할 때, ●와 ■의 무게를 각각 구하세요.

(1) ● 2개의 무게를 ●, ■ 3개의 무게를 ■라고 할 때, ㉠을 식으로 나타내세요.

식 ①:　　● + ■ = 17

(2) ●, ■를 이용하여, ㉡을 식으로 나타내세요.

식 ②:　　■ − ● = 1 또는 ● + 1 = ■

(3) 식 ①, ②를 이용하여 ●, ■를 구하세요.

●: 8 , ■: 9

(4) (3)을 이용하여 ●와 ■의 무게를 각각 구하세요.

●: 4 , ■: 3

> 양팔 저울은 양쪽에 놓인 무게가 같으면 기울지 않아.

---

1 1) 처음 쿠키 개수를 ■로 놓고 수직선을 그립니다.

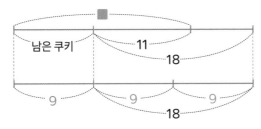

2) 남은 쿠키의 개수가 3개이므로 처음 쿠키의 개수는 9 + 11 = 20(개)입니다.

2 1) ● + ▲ + ■ = 22, ● + ▲ − ■ = 4
　● − ▲ = 3
2) ● + ▲를 ★이라고 놓으면
　★ + ■ = 22, ★ − ■ = 4
　22 + 4 = 26, 26의 반은 13 ➡ ★ = 13
3) ● + ▲ = 13, ● − ▲ = 3
4) 13 + 3 = 16, 16의 반은 8 ➡ ● = 8
　▲ = 13 − 8 = 5

● **(1)** 왼쪽에 놓인 모양의 무게는 오른쪽 추의 무게의 합과 같습니다.

(2) 왼쪽에 ● 2개와 무게가 1인 추가 있고, 오른쪽에는 ■ 3개가 있으므로 양쪽에 놓인 무게의 차가 1인 것을 알 수 있습니다.

(3) 두 모양의 합, 차를 이용하여 두 모양의 무게를 구할 수 있습니다.

05 길의 가짓수

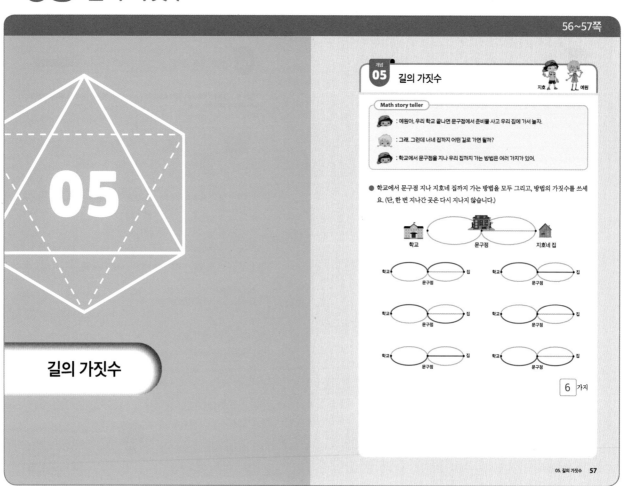

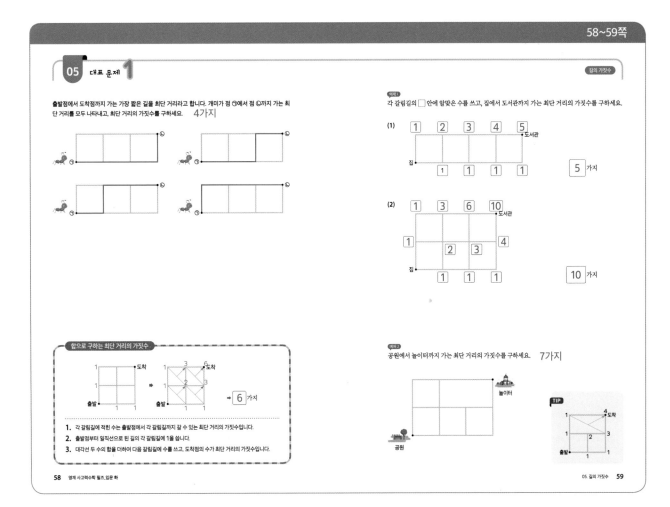

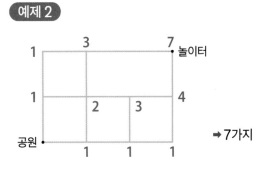

예제 2

→7가지

예원이가 학교에서 집에 왔다가 놀이터에 가는 최단 거리의 가짓수를 구하세요.   18가지

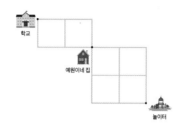

예제 1
강아지가 뼈다귀를 가지고 집으로 가는 최단 거리의 가짓수를 구하세요.   9가지

곱으로 구하는 최단 거리의 가짓수

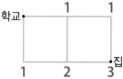

① ㉠에서 ㉡까지 가는 최단 거리의 가짓수: **3** 가지

② ㉡에서 ㉢까지 가는 최단 거리의 가짓수: **2** 가지

③ ㉠에서 ㉡을 지나 ㉢까지 가는 최단 거리의 가짓수: **3** × **2** = **6** (가지)

1. (㉠에서 ㉡을 지나 ㉢까지 가는 최단 거리의 가짓수)
= (㉠에서 ㉡까지 가는 최단 거리의 가짓수) × (㉡에서 ㉢까지 가는 최단 거리의 가짓수)

예제 2
각 마을 사이의 길이 다음과 같을 때, ㉠ 마을에서 ㉡ 마을, ㉢ 마을을 차례로 지나 ㉣ 마을까지 가는 최단 거리의 가짓수를 구하세요. 12가지

---

1) 학교에서 집까지 가는 최단 거리: 3가지

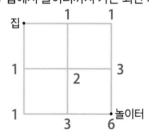

2) 집에서 놀이터까지 가는 최단 거리: 6가지

3) 학교에서 집을 지나 놀이터까지 가는 최단 거리:
3 × 6 = 18(가지)

예제 1

1) 강아지가 뼈다귀가 있는 곳까지 가는 최단 거리: 3가지
2) 뼈다귀가 있는 곳에서 집까지 가는 최단 거리: 3가지

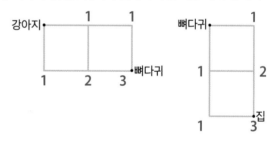

3) 강아지가 뼈다귀를 가지고 집까지 가는 최단 거리:
3 × 3 = 9(가지)

예제 2

1) ㉡ 마을, ㉢ 마을을 지나갈 수 있는 길만 생각합니다.

2) 최단 거리: 3 × 2 × 2 = 12(가지)

05 **확인 문제**

1 지호가 집에서 편의점까지 가는 방법은 모두 몇 가지입니까? (단, 한 번 지나간 길은 다시 지나지 않습니다.) 4가지

2 집에서 우체국까지 가는 최단 거리의 가짓수를 구하세요. 35가지

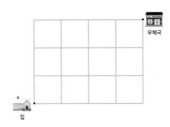

3 곰돌이가 길을 따라 꿀 단지가 있는 곳까지 가는 최단 거리의 가짓수를 구하세요. 3가지

4 길을 따라 도넛 가게에서 사탕 가게에 들러 집으로 가는 방법의 가짓수를 구하세요. (단, 한 번 지나간 길은 다시 지나지 않습니다.) 8가지

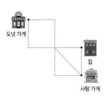

1

➡ 4가지

2

	4	10	20	35 우체국
1	3	6	10	15
1	2	3	4	5
1	1	1	1	1

집 ➡ 35가지

3 곰돌이가 꿀 단지까지 가는데 필요한 길만 표시합니다.

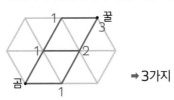

➡ 3가지

4 1) 도넛 가게에서 ㉠까지 가는 길의 가짓수: 2가지

2) ㉠에서 사탕 가게를 지나 집까지 가는 길의 가짓수: 4가지

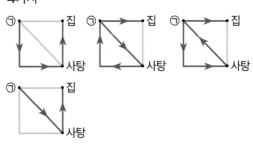

3) 도넛 가게에서 사탕 가게를 지나 집까지 가는 최단 거리: 2 × 4 = 8(가지)

정답 및 해설 **29**

05 확인 문제

5 다람쥐가 길을 따라 도토리가 있는 곳까지 가는 최단 거리의 가짓수를 구하세요.   4가지

7 나비가 길을 따라 꽃이 있는 곳까지 가는 최단 거리의 가짓수를 구하세요.   6가지

6 집에서 문구점까지 가는 최단 거리의 가짓수를 구하세요.   20가지

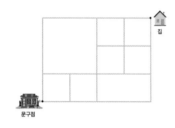

8 집에서 출발하여 도서관을 돌려 놀이터에 가는 최단 거리의 가짓수를 구하세요.   4가지

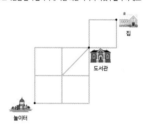

---

5 곡선으로 되어 있는 길을 직선으로 바꾸어 생각합니다.

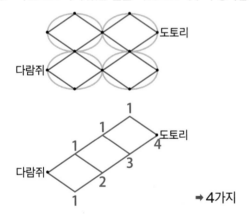

➡ 4가지

7 각 갈림길에 가짓수를 씁니다.

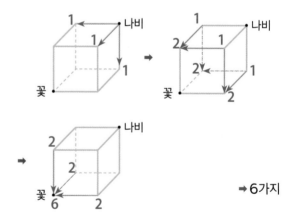

➡ 6가지

6

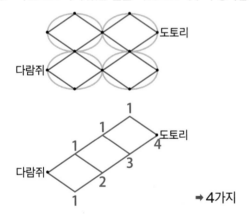

➡ 20가지

8 놀이터까지 가는데 필요한 길만 표시합니다.

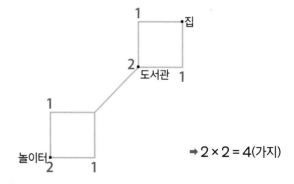

➡ 2 × 2 = 4(가지)

05 심화 문제 · 길의 가짓수

1 지호가 집에서 우체국에 갈 때, 놀이터를 거쳐 가는 최단 거리의 가짓수와 공원을 거쳐 가는 최단 거리의 가짓수의 차를 구하세요.   4

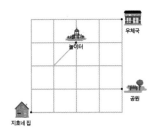

2 지한이가 집에서 약국에 가는 최단 거리의 가짓수를 구하세요. (단, 공사 중인 길은 지나지 못합니다.)   8가지

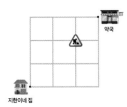

05 경시 기출 유형 · 길의 가짓수

● 개미가 ㉠에서 출발하여 ㉡을 지나 ㉢까지 가는 최단 거리를 모두 그리세요.

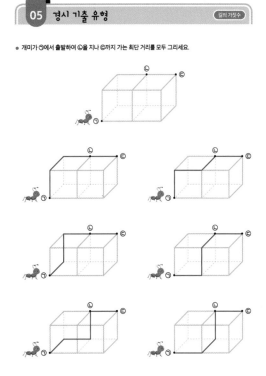

---

1 **1)** 놀이터를 지나는 최단 거리의 가짓수

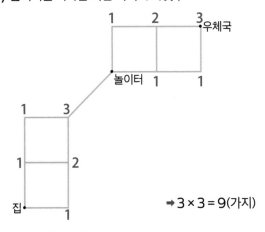

➡ 3 × 3 = 9(가지)

2) 공원을 지나는 최단 거리의 가짓수

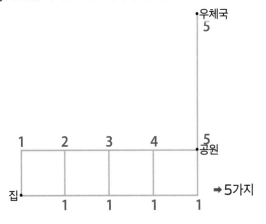

➡ 5가지

3) 가짓수의 차: 9 − 5 = 4

2 공사 중인 곳으로 가는 길을 빼고 각 갈림길에 가짓수를 씁니다.

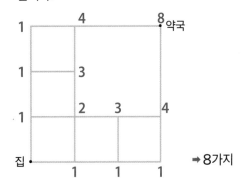

➡ 8가지

● **1)** ㉠에서 ㉡까지 최단 거리: 6가지
  2) ㉡에서 ㉢까지 최단 거리: 1가지
  3) ㉠에서 ㉡을 지나 ㉢까지 가는 최단 거리: 6가지
  4) 최단 거리 6가지를 모두 그립니다.

06 리그와 토너먼트

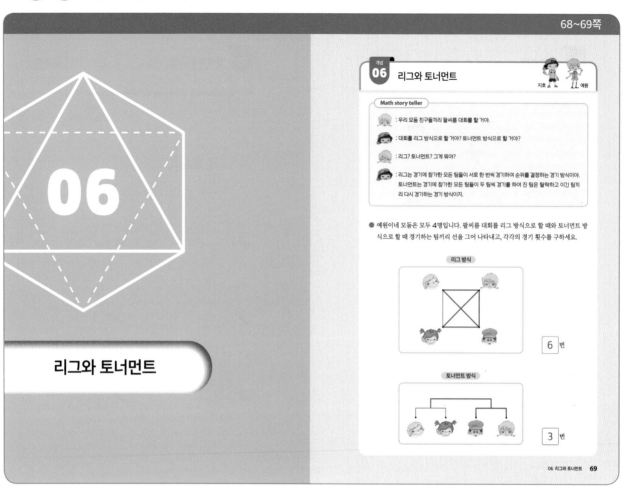

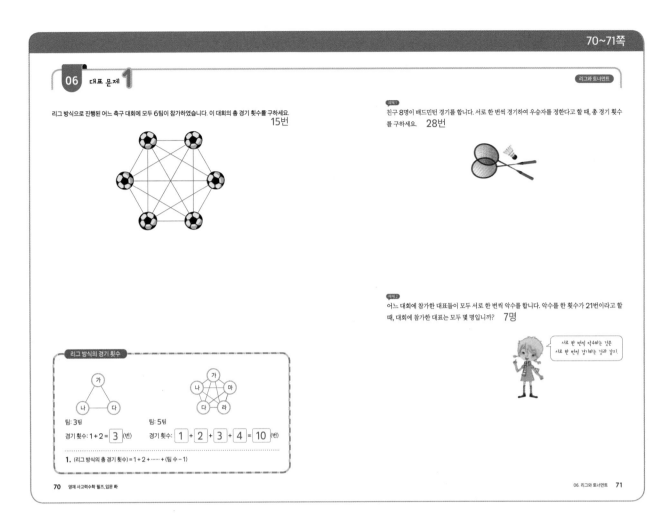

모두 6팀이므로 경기 횟수는 $1 + 2 + 3 + 4 + 5 = 15$(번)입니다.

예제 1

$1 + 2 + 3 + 4 + 5 + 6 + 7 = 28$(번)

예제 2

1) 서로 한 번씩 악수하는 것은 서로 한 번씩 경기하는 것과 같으므로 악수의 횟수와 경기 횟수가 같습니다.

2) $1 + 2 + 3 + 4 + 5 + 6 = 21$이므로 사람은 모두 7명입니다.

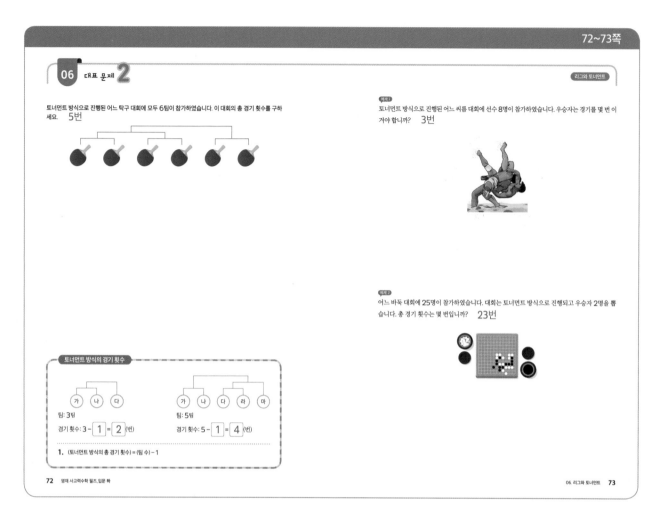

1) (토너먼트 방식의 총 경기 횟수) = (팀 수) − 1

2) 모두 6팀이므로 경기 횟수는 6 − 1 = 5(번)입니다.

예제 1

8명 중 '가'가 우승자라고 할 때 대진표는 다음과 같이 그릴 수 있습니다.

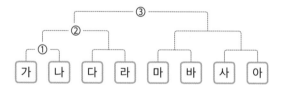

➡ 3번

예제 2

1) 우승자가 1명일 때
(토너먼트의 총 경기 횟수) = (팀 수) − 1이므로,
우승자가 2명일 때
(토너먼트의 총 경기 횟수) = (팀 수) − 2입니다.

2) 25 − 2 = 23(번)

06 확인 문제

리그와 토너먼트

1 원 위의 점 7개 중 두 점을 이어 그을 수 있는 서로 다른 선분은 모두 몇 개입니까? (단, 원은 생각하지 않습니다.) 21개

3 토너먼트 방식으로 진행되는 탁구 대회가 있습니다. 이 대회는 7월 19일에서 7월 25일까지 진행되고 매일 경기가 2번씩 열렸다고 할 때, 이 대회에 모두 몇 팀이 참가했습니까? 15팀

7월

일	월	화	수	목	금	토
			1	2	3	4
5	6	7	8	9	10	11
12	13	14	15	16	17	18
19	20	21	22	23	24	25
26	27	28	29	30	31	

2 어느 대회에 참가한 모든 팀들이 두 팀씩 경기를 하여 진 팀은 탈락하고 이긴 팀끼리 다음 경기를 합니다. 이 대회의 경기 횟수가 모두 15번이라고 할 때, 경기에 참가한 팀은 모두 몇 팀입니까? 16팀

4 리그 방식으로 진행된 어느 대회의 총 경기 횟수는 55번입니다. 이 대회를 토너먼트 방식으로 진행한다면 총 경기 횟수는 몇 번입니까? 10번

이 대회에 참가한 팀은 모두 몇 팀일까?

---

1 **1)** 점 7개 중 두 점을 이어 그을 수 있는 선분의 개수는 리그 방식의 경기에 7팀이 참가하였을 때의 경기 횟수와 같습니다.

2) $1+2+3+4+5+6 = 21$(개)

2 **1)** 경기 방식은 토너먼트입니다.

2) 경기 횟수가 15번이므로 참가 팀은 16팀입니다.

3 **1)** 경기는 7월 19일부터 25일까지 7일간 진행되었습니다.

2) 매일 2번씩 경기하였으므로 경기는 모두 $7 \times 2 = 14$(번)있었습니다.

3) 토너먼트의 경기 횟수는 (팀 수) − 1입니다.

4) (팀 수) − 1 = 14이므로 경기에 출전한 팀은 15팀입니다.

4 **1)** 1부터 10까지의 합이 55이므로 참가 팀은 모두 11팀입니다.

2) 11팀이 참가하여 토너먼트 방식으로 진행한다면 총 경기 횟수는 $11 − 1 = 10$(번)입니다.

06 확인 문제

리그와 토너먼트

5 어느 배구 대회의 총 경기 횟수가 36번입니다. 참가한 팀의 각 경기 횟수가 모두 같다고 할 때, 이 대회에 참가한 팀은 모두 몇 팀입니까? 9팀

7 어느 농구 대회에 16팀이 참가하였습니다. 이 대회는 토너먼트 방식으로 우승자를 결정한 후 준결승전에서 진 두 팀이 대결하여 3, 4위를 가리는 경기를 합니다. ㉠팀은 3, 4위 전에서 패하여 4위를 하였다고 할 때, ㉠팀은 이 대회에서 모두 몇 번 경기한 것입니까? 4번

다른 대회보다 경기 횟수가 썬 더 많은가?

6 어느 학교의 2학년에는 반이 모두 4개입니다. 1반부터 4반이 리그 방식으로 피구 대회를 한 결과의 일부가 지워졌습니다. 3반의 대회 결과를 구하세요. (단, 무승부는 없습니다.) 3승 0패

반	1반	2반	3반	4반	합
승	2	0	3	1	6
패	1	3	0	2	6

8 어느 팔씨름 대회에 100명이 참가하였습니다. 마지막 10명이 남을 때까지는 토너먼트 방식으로 진행되고, 10명이 남으면 리그 방식으로 진행하여 우승자를 뽑습니다. 이 대회의 총 경기 횟수는 몇 번입니까? 135번

5 **1)** 각 팀의 경기 횟수가 모두 같다는 것은 리그 방식임을 뜻합니다.

2) 1부터 8까지의 합이 36이므로 참가 팀은 모두 9팀입니다.

6 **1)** 리그 방식의 경기 횟수는 모두 1 + 2 + 3 = 6(번)입니다. 경기 6번에 이긴 팀이 6팀, 진 팀이 6팀 생깁니다.

2) 각 팀은 모두 3번씩 경기하므로 각 팀의 승과 패의 합이 3이 되도록 빈칸을 채웁니다.

7 **1)** 16명이 토너먼트 방식으로 경기하면 우승자는 모두 4번 경기합니다.

2) ㉠팀은 4위이므로 결승전을 하지 않고, 대신 3, 4위전을 하였습니다.

3) 따라서 ㉠팀의 경기 횟수는 우승팀과 같습니다.

8 **1)** 우승자가 10명일 때
(토너먼트의 총 경기 횟수) = (팀 수) − 10입니다.

2) 100명이 토너먼트를 할 때 총 경기 횟수는
100 − 10 = 90(번)입니다.

3) 10명이 리그를 할 때 총 경기 횟수는
1 + 2 + ⋯⋯ + 9 = 45(번)입니다.

4) 총 경기 횟수는 90 + 45 = 135(번)입니다.

06 심화 문제
리그와 토너먼트

1 어느 탁구 대회가 토너먼트 방식으로 진행되었습니다. 다음을 보고 대진표의 빈칸에 알맞은 팀을 써 넣으세요.

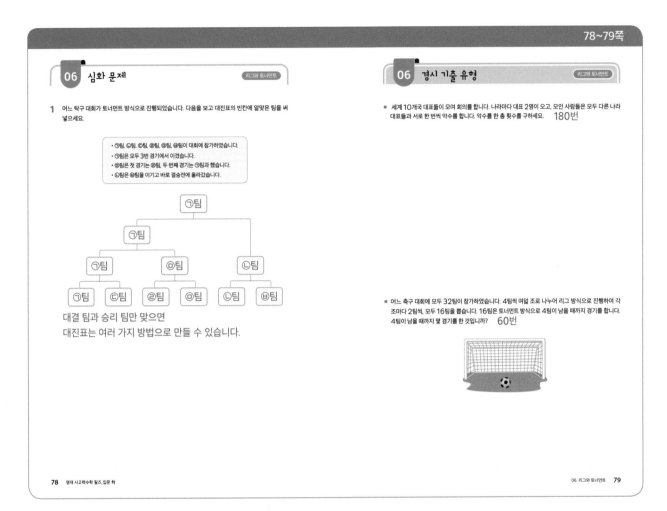

- ㉠팀, ㉡팀, ㉢팀, ㉣팀, ㉤팀, ㉥팀이 대회에 참가하였습니다.
- ㉠팀은 모두 3번 경기에서 이겼습니다.
- ㉤팀은 첫 경기는 ㉣팀, 두 번째 경기는 ㉠팀과 했습니다.
- ㉡팀은 ㉥팀을 이기고 바로 결승전에 올라갔습니다.

대결 팀과 승리 팀만 맞으면
대진표는 여러 가지 방법으로 만들 수 있습니다.

06 경시 기출 유형
리그와 토너먼트

- 세계 10개국 대표들이 모여 회의를 합니다. 나라마다 대표 2명이 오고, 모인 사람들은 모두 다른 나라 대표들과 서로 한 번씩 악수를 합니다. 악수를 한 총 횟수를 구하세요. **180번**

- 어느 축구 대회에 모두 32팀이 참가하였습니다. 4팀씩 여덟 조로 나누어 리그 방식으로 진행하여 각 조마다 2팀씩, 모두 16팀을 뽑습니다. 16팀은 토너먼트 방식으로 4팀이 남을 때까지 경기를 합니다. 4팀이 남을 때까지 몇 경기를 한 것입니까? **60번**

---

1 **1)** ㉠팀이 3번 경기하여 모두 이겼으므로 우승팀입니다. ㉠을 승자에 모두 씁니다.

2) ㉤팀이 첫 번째 경기에서 ㉣팀, 두 번째 경기에서 ㉠팀과 만나므로 2차전에서 ㉠과 만나는 곳에 ㉤을 씁니다.

3) ㉡팀이 ㉥팀을 이기고 바로 결승전에 가므로 대진표의 마지막 두 칸에 ㉡, ㉥을 위 승리 팀에 ㉡을 씁니다.

4) 남은 칸에 남은 ㉢팀을 씁니다.

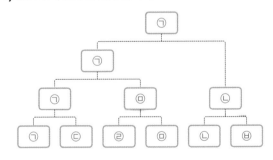

- **1)** 모이는 사람이 모두 20명이므로 20명이 한 번씩 악수를 하면 악수하는 횟수는 1부터 19까지 수의 합인 190번입니다.

2) 각 나라별 대표 2명은 서로 악수를 안 하므로 악수 횟수 190번에서 10번을 뺍니다.
190 − 10 = 180(번)

- **1)** 4팀씩 여덟 조로 나누어 각 조에서 리그 방식으로 경기를 했을 때 경기 횟수는 다음과 같습니다.
한 조의 경기 횟수: 1 + 2 + 3 = 6(번)
여덟 조의 경기 횟수: 6 × 8 = 48(번)

2) 16팀이 토너먼트 방식으로 4팀이 남을 때까지 경기를 했을 때 경기 횟수: 16 − 4 = 12(번)

3) 총 경기 횟수는 48 + 12 = 60(번)입니다.

07 논리 추리

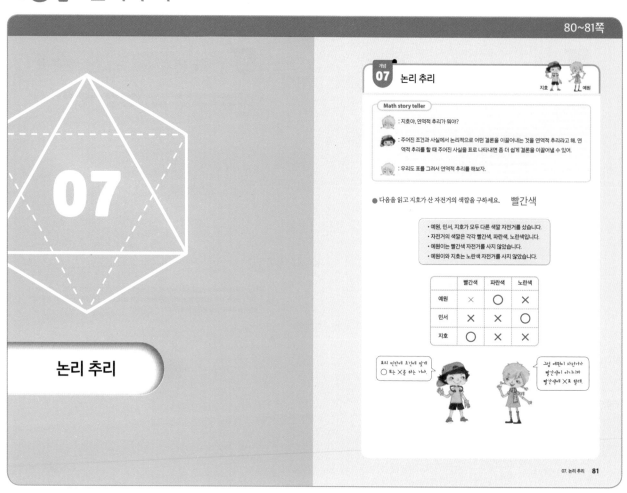

	빨간색	파란색	노란색
예원	✕		✕
민서			
지호			✕

⬇

	빨간색	파란색	노란색
예원	✕	◯	✕
민서	✕	✕	◯
지호	◯	✕	✕

07 대표 문제 **1**

논리 추리

예원, 지호, 민서, 지한이 분식점에서 떡볶이, 순대, 김밥, 라면 중 서로 다른 음식을 하나씩 주문하였습니다. 지호가 주문한 음식은 무엇입니까? 순대

- 순대를 주문한 사람은 지한이의 친구입니다.
- 예원이는 민서가 주문한 떡볶이를 싫어합니다.
- 예원이는 라면을 주문하였습니다.

	떡볶이	순대	김밥	라면
예원	✕	✕	✕	◯
지호	✕	◯	✕	✕
민서	◯	✕	✕	✕
지한	✕	✕	◯	✕

연역표 그리기

순대를 주문한 사람은 지한이의 친구입니다.
: 순대를 주문한 사람은 지한이가 아닙니다.

예원이는 민서가 주문한 떡볶이를 싫어합니다.
: 민서는 떡볶이를 주문하였습니다.
다른 친구들은 떡볶이를 주문하지 않았습니다.

	떡볶이	순대	김밥	라면
예원				
지호				
민서				
지한		✕		

➡

	떡볶이	순대	김밥	라면
예원	✕			
지호	✕			
민서	◯	✕	✕	✕
지한	✕	✕		

1. 조건을 읽고 확실히 답이 아닌 칸에 ✕표 합니다.
2. 답인 칸에 ◯표 하고, ◯표가 있는 가로, 세로줄의 다른 칸에 모두 ✕표 합니다.
3. ✕표만 되어 있는 줄에 한 칸이 남으면 그 칸에는 ◯표를 합니다.

82 영재 사고력수학 필즈_입문 하

예제 1

혜진, 동욱, 예원은 딸기, 사과, 복숭아 중 서로 다른 과일을 하나씩 좋아합니다. 혜진이는 복숭아를 좋아하고, 예원이는 딸기를 싫어합니다. 예원이가 좋아하는 과일은 무엇입니까? 사과

	딸기	사과	복숭아
혜진	✕	✕	◯
동욱	◯	✕	✕
예원	✕	◯	✕

예제 2

가, 나, 다, 라는 서로 다른 직업을 가지고 있습니다. 가, 나, 다, 라 중 선생님은 누구입니까? 나

- 변호사는 선생님과 가와 친합니다.
- 가의 옆집에는 디자이너가 삽니다.
- 나와 변호사는 취미가 같습니다.
- 다는 새로운 디자인 작업을 시작했습니다.

	변호사	선생님	디자이너	의사
가	✕	✕	✕	◯
나	✕	◯	✕	✕
다	✕	✕	◯	✕
라	◯	✕	✕	✕

07. 논리 추리 83

예제 2

1) 첫 번째 조건에서 가는 변호사, 선생님이 아닙니다.
2) 두 번째 조건에서 가는 디자이너가 아닙니다.
3) 세 번째 조건에서 나는 변호사가 아닙니다.
4) 네 번째 조건에서 다는 디자이너입니다.

	변호사	선생님	디자이너	의사
가	✕	✕	✕	
나	✕			
다			◯	
라				

⬇

	변호사	선생님	디자이너	의사
가	✕	✕	✕	◯
나	✕	◯	✕	✕
다	✕	✕	◯	✕
라	◯	✕	✕	✕

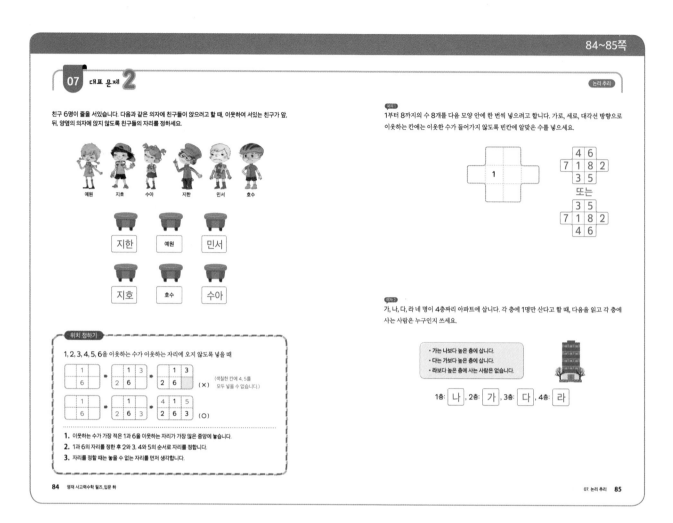

예제 1

1) 이웃하는 수가 가장 적은 1과 8을 이웃하는 칸이 많은 중앙에 놓습니다.

2) 1, 8과 이웃하는 수인 2, 7의 위치를 정한 후, 3과 6, 4와 5의 자리를 정합니다.

예제 2

	1층	2층	3층	4층
가	×			
나				
다	×	×		
라				○

↓

	1층	2층	3층	4층
가	×	○	×	×
나	○	×	×	×
다	×	×	○	×
라	×	×	×	○

07 확인 문제

논리 추리

1 어느 100 m 달리기 대회에 가, 나, 다, 라, 마, 바 6명이 참가하였습니다. 다음을 읽고 달리기 대회의 결과를 1등부터 6등까지 차례로 쓰세요.

> • 가보다 느린 사람은 4명입니다.
> • 다보다 느린 사람은 바 밖에 없습니다.
> • 마는 가보다 느리고 라보다 빠릅니다.

1등		2등		3등		4등		5등		6등
나	-	가	-	마	-	라	-	다	-	바

2 지호, 예원, 민서, 지한이는 두산, 롯데, 한화, LG 중 각각 다른 야구팀을 좋아합니다. 다음을 보고 민서가 좋아하는 야구팀을 구하세요. 두산

> • 민서와 지한이는 LG를 좋아하지 않습니다.
> • 지한이는 두산을 좋아하지 않습니다.
> • 예원이는 한화를 좋아합니다.

	두산	롯데	한화	LG
지호	×	×	×	○
예원	×	×	○	×
민서	○	×	×	×
지한	×	○	×	×

3 예원, 지호, 민서, 지한이는 서로 다른 애완 동물을 한 마리씩 기릅니다. 다음을 보고 강아지, 고양이, 고슴도치, 햄스터 중 민서가 기르는 동물을 구하세요. 강아지

> • 지호는 강아지와 고슴도치를 싫어합니다.
> • 예원이는 고양이를 기릅니다.
> • 민서는 고슴도치를 기르지 않습니다.

4 상민, 민수, 범상, 정아, 혜영이는 성이 허, 양, 채, 김, 정씨로 모두 다릅니다. 다음을 보고 혜영이의 성을 구하세요. 김

> • 민수의 아버지는 채씨입니다.
> • 상민이와 김씨는 허씨와 친구입니다.
> • 정씨인 범상이는 김씨와 결혼했습니다.
> • 허씨는 혜영이의 옆집에 삽니다.

2

	두산	롯데	한화	LG
지호				
예원			○	
민서				×
지한	×			×

⬇

	두산	롯데	한화	LG
지호	×	×	×	○
예원	×	×	○	×
민서	○	×	×	×
지한	×	○	×	×

3

	강아지	고양이	고슴도치	햄스터
예원	×	○	×	×
지호	×	×	×	○
민서	○	×	×	×
지한	×	×	○	×

4

	허	양	채	김	정
상민	×			×	
민수			○		
범상				×	○
정아					
혜영	×				

⬇

	허	양	채	김	정
상민	×	○	×	×	×
민수	×	×	○	×	×
범상	×	×	×	×	○
정아	○	×	×	×	×
혜영	×	×	×	○	×

07 확인 문제

5 다음을 읽고 표의 빈칸에 1부터 9까지의 수를 한 번씩 모두 써넣으세요.

- 7은 8 위에 있습니다.
- 3은 맨 아랫줄 왼쪽에 있습니다.
- 5는 8의 오른쪽에 있습니다.
- 2는 1의 옆에 있지 않습니다.
- 1은 8 아래에 있습니다.
- 9는 7의 오른쪽에 있습니다.
- 4는 8의 왼쪽에 있습니다.

2	7	9
4	8	5
3	1	6

7 아빠, 엄마, 민서, 오빠 네 명이 영화관에 갔습니다. 네 명의 영화관 좌석 번호가 12, 13, 14, 15일 때, 다음을 보고 오빠가 앉을 수 있는 좌석 번호를 모두 쓰세요. **12, 13, 14, 15**

- 아빠의 번호는 엄마의 번호보다 큽니다.
- 아빠의 번호는 민서의 번호보다 작습니다.

11 12 13 14 15 16

6 민수, 범상, 정아, 혜영이는 국어, 영어, 수학, 과학 중 서로 다른 과목을 하나씩 좋아합니다. 민수는 과학 또는 영어를 좋아하고, 범상이는 수학 또는 국어를 좋아합니다. 정아는 국어, 과학 또는 영어를 좋아하고, 혜영이는 수학을 좋아합니다. 국어를 좋아하는 사람은 누구입니까? **범상**

8 현정, 유리, 지연 세 사람은 각각 서울, 부산, 천안에 살고, 직업은 의사, 요리사, 선생님 중 하나입니다. 다음을 보고 지연이 사는 곳과 직업을 구하세요. **부산, 요리사**

- 현정은 부산에 살지 않고 유리는 서울에 살지 않습니다.
- 부산에 사는 사람은 선생님이 아닙니다.
- 서울에 사는 사람은 의사입니다.
- 유리는 요리사가 아닙니다.

---

5 조건에서 가장 많이 나오는 수인 8을 기준으로 수들의 위치를 정합니다.

6 **1)** 민수는 과학 또는 영어를 좋아하므로 국어와 수학은 좋아하는 과목이 아닙니다.

2) 같은 방법으로 범상이는 영어와 과학을 좋아하지 않고, 정아는 수학을 좋아하지 않습니다.

3) 표를 모두 완성하지 않아도 국어를 좋아하는 사람을 알 수 있습니다.

	국어	영어	수학	과학
민수	×		×	
범상	○	×	×	×
정아	×		×	
혜영	×	×	○	×

7 **1)** 엄마가 12번, 아빠가 13번에 앉는 경우 민지는 14번 또는 15번에 앉을 수 있으므로 오빠는 15번 또는 14번에 앉을 수 있습니다.

2) 엄마가 12번, 아빠가 14번에 앉는 경우 민지는 15번, 오빠는 13번에 앉을 수 있습니다.

3) 엄마가 13번, 아빠가 14번에 앉는 경우 민지는 15번, 오빠는 12번에 앉을 수 있습니다.

8 **1)** 서울에 사는 사람은 의사입니다.

2) 부산에 사는 사람은 선생님이 아니므로 부산에 사는 사람은 요리사입니다.

3) 천안에 사는 사람은 선생님입니다.

4)

	서울, 의사	부산, 요리사	천안, 선생님
현정	○	×	×
유리	×	×	○
지연	×	○	×

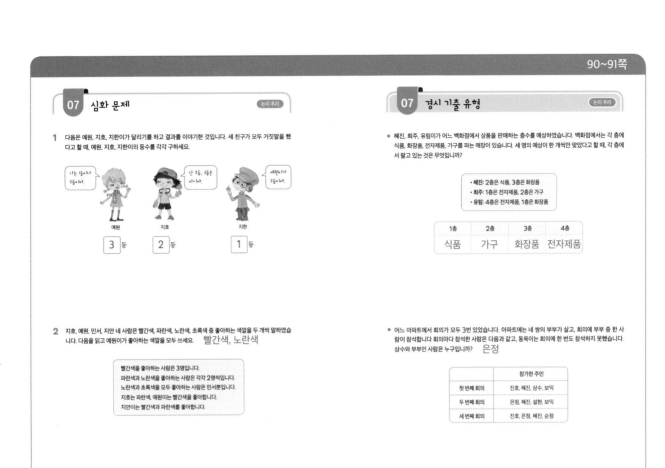

1 1) 예원이의 말은 거짓이므로 예원이는 3등입니다.

  2) 지호의 말이 거짓이므로 지호는 2등 또는 3등입니다. 예원이가 3등이므로 지호는 2등입니다.

  3) 지한이는 1등이 됩니다.

2

	빨간색	파란색	노란색	초록색
지호		○		
예원	○			
민서			○	○
지안	○	○		
인원	3	2	2	1

⬇

	빨간색	파란색	노란색	초록색
지호	○	○	×	×
예원	○	×	○	×
민서	×	×	○	○
지안	○	○	×	×
인원	3	2	2	1

● **1)** 혜진이의 예상 중 2층이 식품이 맞다고 할 때, 나머지 조건을 확인합니다.

> • 혜진: ~~2층은 식품~~, 3층은 화장품
> • 희주: ~~1층은 전자제품~~, 2층은 가구
> • 유림: 4층은 전자제품, 1층은 화장품

  2층이 식품이라면 희주의 예상 중 1층은 전자제품이 되어야 합니다. 1층이 전자제품이면 유림이의 예상은 모두 거짓이 됩니다.

2) 혜진이의 예상 중 3층이 화장품이 맞다고 할 때, 나머지 조건을 확인합니다.

> • 혜진: ~~2층은 식품~~, 3층은 화장품
> • 희주: ~~1층은 전자제품~~, 2층은 가구
> • 유림: ~~4층은 전자제품~~, 1층은 화장품

● 같은 회의에 참석한 사람은 부부가 아닙니다.

	은정	설현	순정	동욱
진호	×	○	×	×
혜진	×	×	×	○
상수	○	×	×	×
보익	×	×	○	×

08 리뷰

1 어떤 수 구하기 1

어떤 수 구하기

어떤 수에 5를 더한 후 7을 빼고 다시 1을 더하였더니 10이 되었습니다. 어떤 수를 구하세요.

1. 어떤 수를 □로 하여 문장을 식으로 나타냅니다.

2. 계산 과정을 거꾸로 생각하여 더한 것은 빼고, 뺀 것은 더하여 어떤 수를 구합니다.

[식] □ + 5 − 7 + 1 = 10

[계산 과정]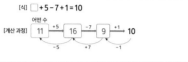

1. 상자에 쿠키 몇 개가 있습니다. 오빠가 3개, 언니가 2개를 먹은 후 어머니가 쿠키 10개를 상자에 넣으면 상자 안 쿠키는 12개가 된다고 할 때, 처음 상자 안 쿠키는 몇 개일까요? **7개**

2. 민서가 구슬 몇 개를 샀습니다. 동생에게 구슬 6개를 받은 후 구슬의 반을 동생에게 주었더니 민서에게 남은 구슬이 5개가 되었습니다. 민서가 산 구슬은 몇 개입니까? **4개**

표 이용하여 어떤 수 구하기

㉠이 ㉡에게 ㉡이 가지고 있던 사탕의 개수만큼의 사탕을 주면 ㉠은 사탕 12개, ㉡은 사탕 10개를 가지게 됩니다.

1. 가지고 있던 개수만큼 받으면 ㉡이 가진 사탕의 나중 개수는 처음 사탕 개수의 2배가 됩니다.

2. ㉡에게 준 사탕의 개수를 더하여 ㉠이 가진 처음 사탕 개수를 구할 수 있습니다.

	㉠	㉡
나중	12	10
처음		5

➡

	㉠	㉡
나중	12	10
처음	17	5

1. 예원이와 지호가 가위바위보를 하여 진 사람이 이긴 사람에게 이긴 사람이 가지고 있는 동전의 개수만큼 동전을 주기로 했습니다. 처음에는 예원이가 이겼고, 다음에는 지호가 이겼습니다. 남은 동전이 각각 12개일 때, 처음 예원이와 지호가 가진 동전의 개수를 각각 구하세요.

	예원	지호
지호가 이긴 후	12	12
예원이가 이긴 후	18	6
처음	9	15

예원: **9** 개, 지호: **15** 개

---

1 마지막 쿠키의 개수부터 거꾸로 생각합니다.

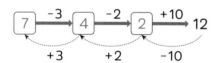

2 마지막 구슬의 개수부터 거꾸로 생각합니다.

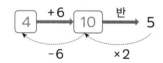

1 **1)** 지호가 이기기 전 동전의 개수는 지호가 이긴 후 동전 개수의 반인 6개, 예원이의 동전 개수는 12 + 6 = 18(개)입니다.

2) 예원이가 이기기 전 동전의 개수는 예원이가 이긴 후 동전 개수의 반인 9개, 지호의 동전 개수는 6 + 9 = 15(개)입니다.

	예원	지호
지호가 이긴 후	12	12
예원이가 이긴 후	18	6
처음	9	15

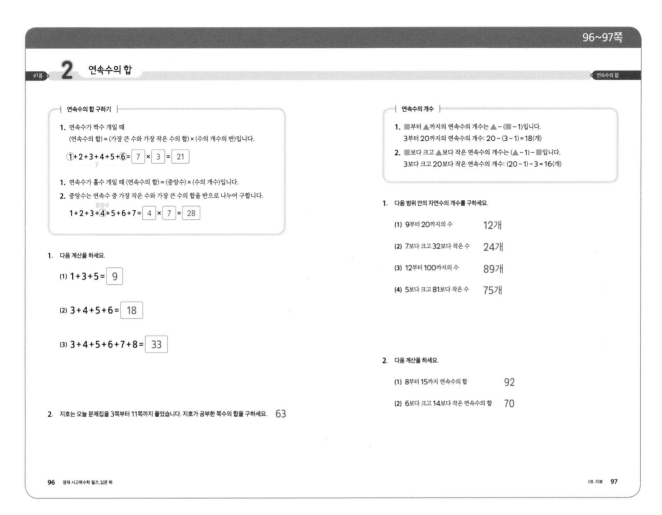

2 연속수의 합

연속수의 합 구하기

1. 연속수가 짝수 개일 때
   (연속수의 합) = (가장 큰 수와 가장 작은 수의 합) × (수의 개수의 반)입니다.

   $1+2+3+4+5+6=$ ⬜7 × ⬜3 = ⬜21

1. 연속수가 홀수 개일 때 (연속수의 합) = (중앙수) × (수의 개수)입니다.
2. 중앙수는 연속수 중 가장 작은 수와 가장 큰 수의 합을 반으로 나누어 구합니다.

   중앙수
   $1+2+3+④+5+6+7=$ ⬜4 × ⬜7 = ⬜28

1. 다음 계산을 하세요.

   (1) $1+3+5=$ ⬜9

   (2) $3+4+5+6=$ ⬜18

   (3) $3+4+5+6+7+8=$ ⬜33

2. 지호는 오늘 문제집을 3쪽부터 11쪽까지 풀었습니다. 지호가 공부한 쪽수의 합을 구하세요. 63

연속수의 개수

1. ■부터 ▲까지의 연속수의 개수는 ▲ − (■ − 1)입니다.
   3부터 20까지의 연속수의 개수: 20 − (3 − 1) = 18(개)

2. ■보다 ▲보다 작은 연속수의 개수는 (▲ − 1) − ■입니다.
   3보다 크고 20보다 작은 연속수의 개수: (20 − 1) − 3 = 16(개)

1. 다음 범위 안의 자연수의 개수를 구하세요.

   (1) 9부터 20까지의 수   12개

   (2) 7보다 크고 32보다 작은 수   24개

   (3) 12부터 100까지의 수   89개

   (4) 5보다 크고 81보다 작은 수   75개

2. 다음 계산을 하세요.

   (1) 8부터 15까지 연속수의 합   92

   (2) 6보다 크고 14보다 작은 연속수의 합   70

---

2 3부터 11까지 연속수의 합은 수의 개수가 홀수 개이므로 (중앙수) × (수의 개수) = 7 × 9 = 63입니다.

1 (1) 9부터 20까지의 수: 20 − 8 = 12(개)
(2) 7보다 크고 32보다 작은 수: 31 − 7 = 24(개)
(3) 12부터 100까지의 수: 100 − 11 = 89(개)
(4) 5보다 크고 81보다 작은 수: 80 − 5 = 75(개)

2 (1) 8부터 15까지 연속수의 합:
수의 개수가 8개이므로 합은 8 + 15 = 23,
23 + 23 + 23 + 23 = 92입니다.
(2) 6보다 크고 14보다 작은 연속수의 합:
수의 개수가 7개이므로 합은 10 × 7 = 70입니다.

3 수 만들기

| 가장 큰 식, 가장 작은 식 |

1. 합이 가장 큰 식은 주어진 수 중 더 큰 수는 십의 자리, 더 작은 수는 일의 자리에 넣어서 만듭니다.

2. 합이 가장 작은 식은 주어진 수 중 더 작은 수는 십의 자리, 더 큰 수는 일의 자리에 넣어서 만듭니다.

1. 차가 가장 큰 식은 주어진 수로 만들 수 있는
(가장 큰 두 자리 수) − (가장 작은 두 자리 수)입니다.

2. 차가 가장 작은 식은 십의 자리에 차가 가장 작은 두 수를 넣고, 남은 수 중 작은 수는 빼어지는 수의 일의 자리, 큰 수는 빼는 수의 일의 자리에 넣습니다.

1. 2, 3, 4, 9를 한 번씩 모두 사용하여 합이 가장 작은 식과 차가 가장 큰 식, 작은 식을 만들고 계산하세요.

더하는 수의 같은 자리 숫자끼리 바꾸어도 정답입니다.

| 계산 결과와 빼는 수의 관계 |

1. 빼는 수의 2배만큼 계산 결과가 작아집니다.

2. 모든 수의 합과 계산 결과를 비교하여 차이나는 수의 반만큼을 뺍니다.

$6 + 5 + 4 + 3 + 2 = 20$

$6 + 5 + 4 - 3 + 2 = 14$

차: 20 − 14 = 6
차의 반인 3만큼을 뺍니다.

1. 다음 ○ 안에 + 또는 −를 넣어 올바른 식을 만드세요.

$$1 + 4 + 6 + 7 - 8 = 10$$

2. 주어진 수 카드와 +, −를 사용하여 올바른 식을 만드세요.

(1)
| 1 | 6 |
| 7 | 9 |

$9 + 7 - 6 + 1 = 11$

(2)
| 2 | 3 |
| 5 | 8 |

$8 - 5 + 3 - 2 = 4$

빼는 수의 위치만 다른 것은 정답입니다.

---

1 **1)** 합이 가장 작은 식은 주어진 수 중 큰 두 수를 일의 자리, 나머지 두 수를 십의 자리에 놓습니다.

2) 차가 가장 큰 식은 주어진 수로 만들 수 있는 가장 큰 두 자리 수에서 가장 작은 두 자리 수를 빼는 식입니다.

3) 차가 가장 작은 식은 주어진 수 중 차가 가장 작은 두 수를 십의 자리, 나머지 수 중 작은 수를 빼어지는 수의 일의 자리, 큰 수를 빼는 수의 일의 자리에 놓습니다.

1 **1)** $1 + 4 + 6 + 7 + 8 = 26$

2) 26과 계산 결과의 차를 이용하여 연산 기호를 넣습니다.

3) $26 - 10 = 16$: 16의 반인 8을 뺍니다. (-8)

2 **(1)** $9 + 7 + 6 + 1 = 23$

$23 - 11 = 12$: 12의 반인 6을 빼는 식을 만듭니다.

(2) $8 + 5 + 3 + 2 = 18$

$18 - 4 = 14$: 14의 반인 7만큼 빼는 식을 만듭니다.

4 어떤 수 구하기 2

| 수직선으로 어떤 수 구하기 |

1. 수직선의 길이는 수의 크기를 나타냅니다.

2. 개수가 반이 되면 수직선의 길이를 반으로, 개수가 2배가 되면 수직선의 길이가 2배가 되도록 그립니다.

3. 어떤 수를 수직선으로 나타내어 구할 때 계산 과정을 차례로 수직선으로 나타내고, 계산 결과부터 거꾸로 생각하여 어떤 수를 구합니다.

어떤 수의 반에서 5를 빼면 7이 됩니다. 어떤 수를 구하세요.

어떤 수: 24
12 + 12 = 24

1. 어느 상자에 클립이 몇 개 있었습니다. 클립 몇 개를 더 사서 넣으면 클립의 개수는 처음의 2배가 됩니다. 민서가 클립 12개를 사용하고 남은 클립이 8개라고 할 때, 처음 클립은 몇 개입니까? **10개**

2. 예원이는 가지고 있던 사탕 중 반을 동생에게 주고 사탕 5개를 언니에게 받았습니다. 예원이가 가진 사탕이 12개라면 처음 사탕은 몇 개입니까? **14개**

| 합과 차를 알 때 어떤 수 구하기 |

1. 두 수의 합이 ■, 차가 ▲ : 두 수 중 큰 수는 ■와 ▲의 합을 반으로 나눈 것과 같습니다.

㉠+㉡=10, ㉠-㉡=2   합 + 차: 10 + 2 = 12, 큰 수 ㉠: 12의 반인 6

1. 두 수의 합과 차가 다음과 같을 때 두 수를 구하세요.

(1) 합이 16, 차가 6인 두 수   **5, 11**

(2) 합이 30, 차가 4인 두 수   **13, 17**

2. 어느 학교에 있는 선생님은 모두 38명입니다. 여자 선생님이 남자 선생님보다 30명이 더 많다고 할 때, 여자 선생님은 모두 몇 명입니까? **34명**

3. 과일 바구니 안에 있는 사과와 배는 모두 12개입니다. 사과가 배보다 2개 더 많다고 할 때, 배는 몇 개입니까? **5개**

---

1 **1)** 처음 클립의 개수를 ■로 놓고 수직선을 그립니다.

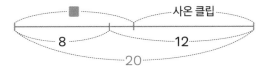

2) 사온 클립의 개수가 처음 클립의 개수와 같으므로 처음 클립은 20의 반인 10개입니다.

2 **1)** 처음 사탕의 개수를 ■로 놓고 수직선을 그립니다.

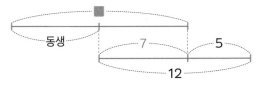

2) 처음 사탕 개수의 반이 12 − 5 = 7(개)이므로 처음 사탕 개수는 7 × 2 = 14(개)입니다.

1 **(1)** 합과 차를 더한 것의 반이 큰 수입니다.
16 + 6 = 22, 22의 반은 11
큰 수 11, 작은 수 16-11 = 5
(2) 30 + 4 = 34, 34의 반은 17
큰 수 17, 작은 수 30-17 = 13

2 **1)** (여자 선생님) + (남자 선생님) = 38
(여자 선생님) − (남자 선생님) = 30
2) 38 + 30 = 68, 68의 반은 34
여자 선생님 34명

3 **1)** (사과) + (배) = 12
(사과) − (배) = 2
2) 12 + 2 = 14, 14의 반은 7
사과 7개, 배 12 − 7 = 5(개)

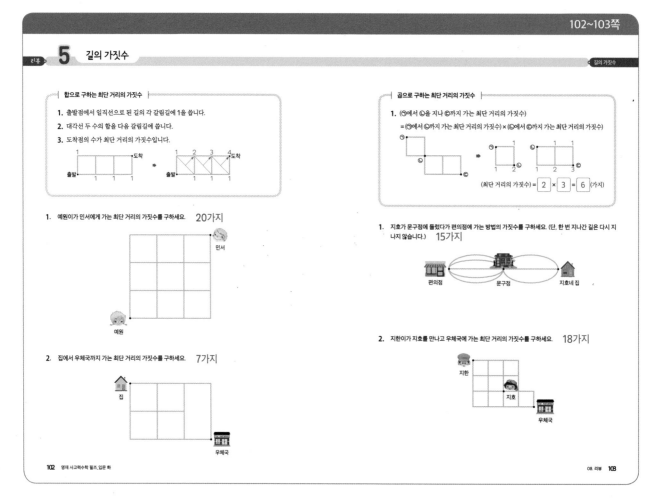

1

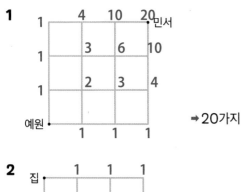

➡ 20가지

2

➡ 7가지

1 3 × 5 = 15(가지)

2 1) 지한이가 지호가 있는 곳까지 가는 최단 거리:
6가지

2) 지호가 있는 곳에서 우체국까지 가는 최단 거리:
3가지

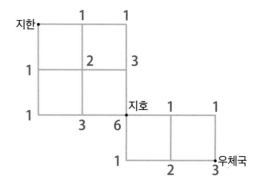

3) 6 × 3 = 18(가지)

6 리그와 토너먼트

리그와 토너먼트

리그 방식의 경기 횟수

1. 리그는 경기에 참가하는 모든 팀들이 서로 한 번씩 경기하여 순위를 결정하는 경기 방식입니다.

2. (리그 방식의 총 경기 횟수) = 1 + 2 + …… + (팀 수 − 1)

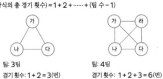

팀: 3팀
경기 횟수: 1 + 2 = 3(번)

팀: 4팀
경기 횟수: 1 + 2 + 3 = 6(번)

---

1. 마을 주민 12명이 모여 서로 한 번씩 팔씨름을 했습니다. 다음 물음에 답하세요.

(1) 한 사람이 팔씨름을 하는 횟수를 구하세요. **11번**

(2) 12명이 한 팔씨름의 총 횟수를 구하세요. **66번**

2. 리그 방식으로 진행되는 어느 피구 대회에 6팀이 참가하였습니다. 대회의 총 경기 횟수를 구하세요.
15번

토너먼트 방식의 경기 횟수

1. 토너먼트는 경기에 참가하는 모든 팀들이 두 팀씩 경기를 하여 진 팀은 탈락하고 이긴 팀끼리 다시 경기하는 경기 방식입니다.

2. (토너먼트 방식의 총 경기 횟수) = (팀 수) − 1

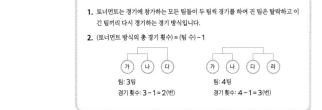

팀: 3팀
경기 횟수: 3 − 1 = 2(번)

팀: 4팀
경기 횟수: 4 − 1 = 3(번)

---

1. 전국 씨름 대회가 열렸습니다. 다음을 보고 총 경기 횟수를 구하세요.

> ① 선수 12명이 참가하였습니다.
> ② 4명씩 세 조로 나누어 리그 방식으로 진행합니다.
> ③ 각 조의 1위가 모여 토너먼트 방식으로 우승자를 뽑습니다.

(1) 리그 방식으로 진행되는 한 조의 경기 횟수와 세 조의 경기 횟수를 차례로 쓰세요.
6번, 18번

(2) 토너먼트 방식의 경기에 진출한 선수의 수와 토너먼트 방식의 경기 횟수를 차례로 쓰세요.
3명, 2번

(3) 총 경기 횟수를 구하세요. **20번**

---

1 **(1)** 12명이 모두 한 번씩 팔씨름을 하면 자기 자신을 뺀 모든 사람들과 팔씨름을 합니다.
한 사람의 팔씨름 횟수는 12 − 1 = 11(번)입니다.

(2) 12명이 모두 한 번씩 팔씨름을 하므로
1 + 2 + …… + 10 + 11 = 66(번)입니다.

2 1 + 2 + …… + 5 = 15(번)

1 **(1)** 한 조의 경기 횟수는 1 + 2 + 3 = 6(번)입니다.
세 조의 경기 횟수는 6 × 3 = 18(번)입니다.

(2) 토너먼트의 경기 횟수는 3 − 1 = 2(번)입니다.

(3) 총 경기 횟수는 18 + 2 = 20(번)입니다.

7 논리 추리

| 연역표 그리기 |

1. 조건을 읽고 확실히 답이 아닌 칸에 ×표 합니다.

2. 답인 칸에 ○표 하고, ○표가 있는 가로, 세로줄의 다른 칸에 모두 ×표 합니다.

3. ×표만 되어 있는 줄에 한 칸만 남으면 그 칸에 ○표 합니다.

> • 예원이는 농구, 축구를 좋아하지 않습니다.
> • 민서는 축구를 좋아합니다.

	농구	축구	배구
예원	×	×	○
지호			×
민서		○	×

➡

	농구	축구	배구
예원	×	×	○
지호	○	×	×
수아	×	○	×

1. 지한, 지호, 예원이는 음악, 미술, 체육 중 서로 다른 한 과목씩을 좋아합니다. 다음을 보고 지호가 좋아하는 과목을 구하세요. 미술

> • 지한이는 체육 시간에 넘어진 후로 움직이는 활동을 싫어합니다.
> • 지한이는 미술을 좋아하는 친구와 같은 수학 학원에 다닙니다.
> • 지호의 어머니는 체육을 좋아하는 친구의 어머니와 자매 사이입니다.

	음악	미술	체육
지한	○	×	×
지호	×	○	×
예원	×	×	○

| 위치 정하기 |

이웃하는 수가 이웃하는 자리에 오지 않도록 배치할 때,

1. 이웃하는 수가 적은 첫 수와 끝 수를 이웃하는 자리가 많은 중앙에 놓습니다.

2. 첫 수와 끝 수를 놓은 후 첫 수와 끝 수에 가까운 수의 자리부터 정합니다.

3. 수의 자리를 정할 때는 놓을 수 없는 자리를 먼저 생각합니다.

2부터 7까지의 수를 배치할 때

2	
7	

➡

2	6
3	7

➡

5	2	6
3	7	4

1. 가로, 세로, 대각선 방향으로 이웃하는 칸에는 연속된 홀수가 들어가지 않도록 1부터 15까지 연속하는 홀수를 빈칸에 한 번씩 써넣으세요.

	13	
5	1	7
9	15	11
	3	

(1) 1부터 연속하는 홀수를 차례로 나열하고 1과 15의 자리를 먼저 정합니다.
1, 3, 5, 7, 9, 11, 13, 15

(2) 3부터 13까지의 홀수 중 1과 15와 가까운 수의 자리부터 정합니다.

1

	음악	미술	체육
지한		×	×
지호			×
예원			

	음악	미술	체육
지한	○	×	×
지호	×	○	×
예원	×	×	○

1 (1) 이웃하는 수가 가장 적은 1, 15를 이웃하는 자리가 가장 많은 중앙에 놓습니다.

(2) 1, 15와 이웃한 홀수 3. 13부터 자리를 정하여, 5와 11, 7과 9의 자리를 정합니다.

"

자신 위로 올라서
세상을 꽉 잡아라

"